Het grafische jaaroverzicht links toont in één oogopslag de posities van de planeten. Van boven naar beneden zijn de maanden aangegeven, van links naar rechts de positie op de ecliptica ten opzichte van de zon. Een planeet aan de linkerkant is vóór zonsopkomst waarneembaar, een in het midden de hele nacht en een aan de rechterkant aan de (vroege) avondhemel. Links en rechts is ook de schemerzone ingetekend, d.w.z. het gedeelte van de ecliptica dat al is ondergegaan (of nog niet is opgekomen) op het moment dat de zon minder dan 9 graden onder de horizon staat. Binnen deze zone zijn planeten niet of nauwelijks waarneembaar.

Bij de foto's

Blz. 2/3: De melkweg in het sterrenbeeld Zwaan (S. Binnewies), blz. 8: De noordelijke hemelpool (S. Binnewies), blz. 60/61: De planeet Mars, rechts met stofstorm (NASA, HST), blz. 67: Geulen in een kraterwand op Mars (NASA, JPL), blz. 79: Serie opnamen van een maansverduistering (S. Binnewies), blz. 83: De planeet Saturnus (NASA, Cassini), blz. 89: Astronaut bij de spaceshuttle Columbia (NASA, HST), blz. 90: De Kegelnevel (NASA, HST), blz. 91: H kervisstelsel (NASA, HST), Zonnevlekken in aug. 200: SOHO), blz. 95: De planet NY40 (M. Gertz, Sternwar heim/Planetarium Stuttga

Inhoud   12484

Hermann-Michael Hahn

Hemeljaar-
boek

Van juli 2003 tot juni 2004

Tirion
NATUUR

De wereld waarin wij leven

Vele duizenden jaren lang hebben onze voorouders de met sterren bezaaide nachthemel beschouwd als de verblijfplaats van de goden. Alleen 'daarboven', zo bleek uit de altijd onveranderlijke aanblik van de sterrenbeelden, konden deze 'bovennatuurlijke' wezens met hun 'bovenmenselijke' vaardigheden hun aardse vergankelijkheid ontstijgen en hun 'bovenaardse' krachten ontplooien. Tegen deze achtergrond interpreteerde men de hemelse kringlopen – het wisselen van dag en nacht, de cyclus van de maanfasen en het ritme van de seizoenen – als goddelijke 'tekens van de tijd', die ons bewust maakten van onze vergankelijkheid. Om de goden gunstig te stemmen werden deze cycli gebruikt als aanleiding voor bepaalde, regelmatig terugkerende rituele handelingen en feesten. Het was in verband hiermee noodzakelijk om een bruikbare, makkelijk hanteerbare tijdrekening te construeren, die aan de 'hemelse aanwijzingen' voldeed.

Tot ver in de Middeleeuwen was men daarbij aangewezen op sterrenkundige waarnemingen en 'natuurlijke' klokken, die ofwel op de loop van de zon ofwel op bepaalde kortstondige processen, zoals het leeglopen van een met water (of zand) gevulde kruik of het verbranden van een bepaalde hoeveelheid olie, waren gebaseerd. Pas na de ontwikkeling van de eerste mechanische uurwerken, tegen het einde van de 13de eeuw, kon de tijd op onafhankelijke wijze in de gaten gehouden worden, hetgeen als een ware technologische revolutie kan worden beschouwd.

In de ban van de tijd

Tegenwoordig klagen veel mensen dat ze tijd tekort komen. Veel meer dan vroeger zijn we in staat om afspraken kort na elkaar te plannen, en uiteindelijk resulteert deze tijdsdruk in een stressfactor waar geen kruid tegen gewassen lijkt.

Op zoek naar een uitweg uit deze jachtigheid nemen steeds meer mensen hun toevlucht tot esoterische oplossingen, die rust en ontspanning beloven, maar tevens vaak in tegenspraak zijn met ons 'verlichte' wereldbeeld.

(Ont)spannend heelal

Toch kan aandacht voor de wereld waarin wij leven ook zelf heel ontspannend zijn, zeker als we de verbanden tussen de verschijnselen gaan zien. Wie terugkeert naar deze wortels van ons bestaan, ons kosmisch voorland verkent en probeert te begrijpen, zal niet alleen vertrouwd raken met heel andere tijdsbeelden, maar ook met heel andere dimensies, waarbij onze bezigheden en zorgen van alledag tamelijk in het niet vallen. Daarbij wordt men zich vanzelf ook bewust van de kwetsbaarheid van onze unieke planeet, wat weer in een andere omgang met het milieu kan resulteren.

Deze 'sprong naar de sterren' is in tegenstelling tot menig andere 'heilsleer' geen vlucht uit de werkelijkheid, maar eerder een spannende duik in de wereld die ons bestaan heeft vormgegeven en medebepalend is voor onze toekomst – maar dan op geheel andere wijze dan de astrologen ons willen doen geloven.

Eigen waarnemingen

Om deze wereld te verkennen heeft men niet veel nodig, in eerste instantie zijn een paar ogen al voldoende. Wel is het zinvol om ondertussen ook een beetje na te denken over wat men ziet, om daaruit de juiste conclusies te trekken, of alvast vooruit te denken over toekomstige waarnemingen. Lees hierover meer in het hoofdstuk *Tips voor de waarnemer*.

In één oogopslag

Met dit *Hemeljaarboek* kunt u zich een actueel beeld van onze kosmische omgeving vormen en met eigen ogen de hemelverschijnselen volgen. De overzichtelijke tekeningen illustreren wat er zich aan de hemel afspeelt: de loop van de zon, met de tijdstippen en plaatsen van opkomst en ondergang, de dagelijks veranderende schijngestalten van de maan en de standen van de planeten worden niet alleen in woord beschreven, maar zijn ook uitgebeeld met behulp van kleurbalken. De posities van deze rode balken ten opzichte van de zon – de loodrechte gele lijn die midden over de pagina loopt – geven het bereik aan waarbinnen de planeet in kwestie zich op dat moment bevindt. Daaruit kan men onder meer afleiden of de planeet aan avond- of ochtendhemel waarneembaar is of dat hij dichtbij de zon onzichtbaar aan de daghemel staat. Een totaaloverzicht van de planeetposities vindt u aan de binnenkant van de voorflap.

Maandkaarten

De maandelijkse sterrenkaarten tonen een flink gedeelte van de sterrenhemel die op de aangegeven tijd te zien is. De uitsnede bestrijkt het gebied van de noordelijke hemelpool,

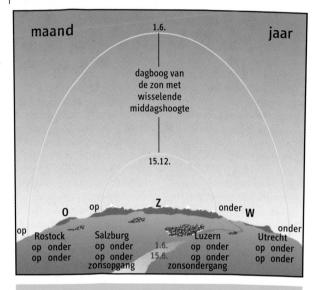

maand		1.6.		jaar
		dagboog van de zon met wisselende middagshoogte		
		15.12.		

O	op	Z	onder	W
op				onder
Rostock	Salzburg		Luzern	Utrecht
op onder	op onder	1.6.	op onder	op onder
op onder	op onder	15.6.	op onder	op onder
	zonsopgang		zonsondergang	

planetenloop

avondhemel	schemerzone zon	ochtendhemel

Planeet staat links van de zon (oostelijk) en is aan de avondhemel te zien.

Planeet staat rechts van de zon (westelijk) en is aan de ochtendhemel te zien.

Planeet staat tegenover de zon (oppositie) en is de gehele avond en nacht te zien.

Planeet staat bij de zon aan de daghemel (conjunctie) en is niet waarneembaar.

waar zich de Poolster bevindt, tot de zuidelijke horizon en toont dus bijna driekwart van de waarneembare sterrenhemel. Behalve de helderste sterren, die grotendeels ook nog in de buurt van dorpen en steden te zien zijn, tonen de kaarten ook de posities van de met het blote oog zichtbare planeten, halverwege de maand. De afzonderlijke maandkaarten zijn (m.u.v. de standen van de planeten) ook bruikbaar voor de rechts aangegeven tijdstippen in andere maanden.

Tips en suggesties

Aansluitend aan de maandoverzichten krijgt u informatie over bijzondere hemelverschijnselen of een algemene, verklarende tekst, zoals over de beste Marsoppositie sinds vele eeuwen, over de spectaculaire Venusovergang en over het thema 'Hemelse draaiingen'. Bovendien komen de twee totale maansverduisteringen en de beweging van de Jupitermanen aan bod. Juist hemelverschijnselen als deze zullen bij menigeen de belangstelling wekken om eens een bezoek te brengen aan een sterrenwacht, waar u het gebeuren met een grotere telescoop kunt bekijken. Op de achterflap van deze gids vindt u een lijst met plaatsen waar u zo'n sterrenwacht kunt vinden.

Het lezen waard

Tirion Uitgevers heeft een breed assortiment boeken op het gebied van sterrenkunde, zoals:

- Gribbin, *Space*, ISBN 90.4390.375.2
- Herrmann, *Welke ster is dat?* ISBN 90.5210.485.9
- Keller, *Van supernova's tot zwarte gaten*, ISBN 90.5210.468.9
- Korth, *Sterren aan de nachtelijke hemel*, ISBN 90.5210.452.2
- Roth, *Sterren en planeten*, ISBN 90.5210.305.4
- Stott, *Wegwijs in de sterrenkunde*, ISBN 90.213.2978.6

Vraag ernaar bij uw boekhandel.

Tips voor de waarnemer

Wie kent de situatie niet: het is een warme zomeravond tijdens de vakantie, de zon is met een spectaculaire kleurenpracht achter de bergen verdwenen en in de invallende duisternis verschijnen de eerste sterren. Maar welke sterren? En tot welke sterrenbeelden behoren ze? En is dat de Poolster of een planeet misschien? Wellicht dat u op zo'n moment 'Een koninkrijk voor een sterrenkaart' roept. Maar zeg eens eerlijk: kunt u zo'n kaart eigenlijk wel lezen?

Welke ster is dat?

De sterrenkaarten in dit boek zijn echt heel gemakkelijk te begrijpen. Aan de onderrand herkent u een silhouet van de horizon, dat zich uitstrekt van het oosten (links) via het zuiden (midden) tot het westen (rechts) – het betreft dus eigenlijk de halve horizon. Daarboven is de wijde boog van het uitspansel te zien, met de Poolster als hoogste punt. Bedenk daarbij wel dat de Poolster al halfhoog aan de *noordelijke* hemel staat. Het afgebeelde gebied is dus veel groter dan wat u met een blik op het zuiden in één keer kunt zien. Als u naar het zuiden kijkt, ligt het westen rechts en het oosten links.

Sterren en sterrenbeelden die op de kaart dicht bij de horizon zijn getekend, zullen ook in werkelijkheid dicht bij de horizon staan. Het is mogelijk dat u door stof of bewolking in de atmosfeer de wat zwakkere sterren bij de horizon niet of minder goed kunt zien. Om de sterren en sterrenbeelden in het bovenste stuk van de kaart te kunnen vinden, zult u uw hoofd ver naar achteren moeten houden of beter nog naar het noorden moeten kijken. Op welk tijdstip het afgebeelde deel van de sterrenhemel precies met de werkelijkheid overeenkomt, kunt u rechts van de kaart aflezen: bovenaan staat steeds de maand met daaronder het tijdstip. Voor alle maanden (m.u.v. mei, juni en juli) is gekozen voor 22 uur MET aan het begin van de maand, een uur eerder voor het midden van de maand. Rechtsonder vindt u nog enkele andere data en bijpassende tijdstippen waarop de hemelaanblik dezelfde is. Wilt u omgekeerd te werk gaan, en een ster die aan de hemel te zien is op de kaart terugvinden, dan moet u eerst de kaart met de best overeenkomende datum en tijd opzoeken, en de ster vervolgens aan de hand van hemelrichting en hoogte opsporen. Een heldere ster die medio februari rond een uur 's ochtends halfhoog aan de oostelijke hemel staat, blijkt op de aprilkaart (die ook voor medio februari om 1 uur geldig is) herkend te kunnen worden als de hoofdster van het sterrenbeeld Ossenhoeder (Boötes).

Een draaibaar hemelmodel

Als de hier gekozen kaartindeling u te grof voorkomt, zou u de aanschaf van een draaibare sterrenkaart kunnen overwegen. Zulke kaarten zijn vaak te koop in de gespecialiseerde boekwinkels en bij publiekssterrenwachten. Op zo'n kaart kan men een willekeurige datum en tijd instellen en is de gehele zichtbare hemel van dat moment afgebeeld. Behalve de namen van de sterrenbeelden zijn ook de benamingen van de helderste sterren afgedrukt, evenals de posities van de talrijke bijzondere waarneemobjecten die pas met een verrekijker zichtbaar zijn. Draaibare sterrenkaarten zijn gewoonlijk voorzien van een duidelijke uitleg.

De hemel in de computer

Natuurlijk is de actuele aanblik van de sterrenhemel ook met behulp van een computerprogramma op een beeldscherm te bekijken. Zulke programma's bieden, afhankelijk van prijs en kwaliteit, de meest uiteenlopende mogelijkheden. Vaak geven ze ook veel achtergrondinformatie over de afzonderlijke hemelobjecten, want op een cd passen nu eenmaal 'astronomisch veel' gegevens, die zich ook nog eens snel laten oproepen. Andere voordelen van zo'n computerprogramma zijn de mogelijkheid om op een bepaald stukje hemel in te zoomen, waardoor allerlei details zichtbaar worden, en de mogelijkheid om de verandering van de sterrenhemel stap-voor-stap te laten weergeven. Op die manier laten de vele kosmische verschijnselen zich duidelijk – en herhaalbaar – weergeven.

De blik omhoog

Ondanks al deze mogelijkheden blijft de directe waarneming van de sterrenhemel zélf toch van onovertroffen schoonheid. Om er echt een geslaagde ervaring van te maken, moet echter aan een aantal randvoorwaarden worden voldaan. Zo moet u uw ogen de tijd geven om aan het donker te wennen. Wie zo maar eventjes vanuit de goed verlichte woonkamer het balkon of het terras op stapt, zal – ook als de tuinverlichting is uitgeschakeld – moeite hebben om de melkweg te zien. En als u ondertussen een blik op een sterrenkaart wilt werpen, zorg er dan voor dat het felle licht van de zaklamp met een rode folie wordt getemperd – rood licht is het minst verblindend.

Om uw weg langs de hemel te kunnen vinden, is het handig om de vier windstreken te kunnen aanwijzen. Gelukkig staat de Poolster steeds pal in het noorden, en kan men deze ster met behulp van de Grote Beer het hele jaar door gemakkelijk vinden – ervan uitgaande dat u het bekende 'steelpannetje' van de Grote Beer zélf weet te herkennen. Op sommige sterrenkaarten in deze gids is hij niet afgebeeld, omdat hij op het desbetreffende moment laag aan de noordelijke hemel staat. In de desbetreffende maanden moet u de 'steelpan' dus altijd in een strook laag boven de noordelijke horizon zoeken.

Ook wolken kunnen het zicht op de sterrenbeelden belemmeren. Het verdient dus aanbeveling om voor een eerste verkenning van de sterrenhemel een onbewolkte avond of nacht af te wachten. Later kan het ook heel aardig zijn om tussen de wolken door sterren te herkennen.

Natuurlijk kan het geen kwaad om aan de hand van een sterrenkaart de contouren van enkele opvallende sterrenbeelden alvast in u op te nemen. Naast de Grote Beer en Cassio-peia, die beide het hele jaar door aan de hemel staan, komen daarvoor bijvoorbeeld de Lier en de Zwaan (zomerhemel), Pegasus en Perseus (herfsthemel), Orion en de Stier (winterhemel) en de Leeuw en de Ossenhoeder (lente) in aanmerking.

Ook geschikte kleding verdient aanbeveling, het kan 's nachts erg koud zijn. Niets verstoort waarneming van de nachtelijke hemel meer dan een gevoel van opstijgende koude.

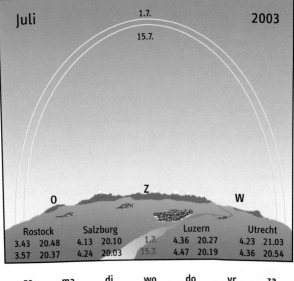

Juli						2003

| | | | | 1.7. | | |
| | | | | 15.7. | | |

	Rostock	Salzburg		Luzern	Utrecht
1.7.	3.43 20.48	4.13 20.10		4.36 20.27	4.23 21.03
15.7.	3.57 20.37	4.24 20.03		4.47 20.19	4.36 20.54

zo	ma	di	wo	do	vr	za
		1	2	3	4	5
6	7	8	9	10	11	12
13	14	15	16	17	18	19
20	21	22	23	24	25	26
27	28	29	30	31		

planetenloop

avondhemel   ochtendhemel

Mercurius is op 5.7 in bovenconjunctie met de zon en daardoor de gehele maand niet waarneembaar.

Venus is van de ochtendhemel verdwenen en nadert de zon steeds meer. Ze staat de komende weken onzichtbaar aan de daghemel.

Mars vergroot zijn opkomstvoorsprong op de zon steeds meer en is binnenkort al vóór middernacht te zien; hij is inmiddels helderder dan Sirius.

Jupiter neemt afscheid van de avondhemel en verdwijnt in de zonnegloed. De komende weken zal hij achter de zon langs bewegen.

Saturnus was afgelopen maand in conjunctie met de zon en is nog niet ver genoeg van de laatste verwijderd om aan de ochtendhemel op te duiken – hij blijft onzichtbaar.

Uranus beweegt heel langzaam retrograad door het sterrenbeeld Waterman en is daar kort na het einde van de schemering te zien (zie kaart op blz. 84).

Samenstanden e.a. verschijnselen
(alle tijden in MET)

2.7	23 u	de maan 4 graden ten noorden van Jupiter
4.7	7 u	aarde het verst van de zon (152,1 milj. km)
5.7	11 u	Mercurius in bovenconjunctie
7.7	23 u	de maan 4 graden ten noordoosten van Spica
10.7	23 u	de maan 3 graden ten noorden van Antares
17.7	3 u	de maan 3 graden ten zuidwesten van Mars
30.7	23 u	Mars stationair en beweegt vervolgens retrograad

Juli

1. 7.	23 u
15. 7.	22 u

ook bruikbaar op

15. 4.	4 u
1. 5.	3 u
15. 5.	2 u
1. 6.	1 u
15. 6.	24 u

Alle tijden in MET.
Tijdens de zomertijd moet
daar 1 uur bij worden opgeteld
(bijv. 22 uur MET = 23 uur MEZT).

Sterrenbeelden:

Poolster, Kleine Beer, Grote Beer, Draak, Cepheus, Hagedis, Pegasus, Zwaan, Lier, Hercules, Noorderkroon, Jachthonden, Haar van Berenice, Ossenhoeder, Leeuw, Maagd, Slang, Weegschaal, Slangendrager, Schorpioen, Schild, Arend, Pijl, Vosje, Dolfijn, Veulen, Waterman, Steenbok, Boogschutter

oost — west

In **juli** begint het hart van menig sterrenvriend pas laat in de nacht te kloppen. Verergerd door de zomertijd wordt het pas in het laatste uur voor middernacht zo donker dat slechts de helderste sterren aan de hemel te herkennen zijn.

En als het dan eindelijk donker genoeg geworden is, blijken er in zuidelijke richting ook nog eens opvallend weinig heldere sterren te staan. Daar, waar 's middags de zon en 's nachts alle sterren tijdens hun dagelijkse schijnbare beweging langs het firmament hun grootste hoogte boven de horizon bereiken, is momenteel amper een lichtpuntje te zien. Laag boven de horizon fonkelt nog wel de roodachtige ster Antares, die deel uitmaakt van de Schorpioen. En hoog in het zuidoosten, bijna in het zenit (het punt recht boven ons hoofd),

komen we Wega tegen, de helderste ster van het onooglijke sterrenbeeld Lier. Tussen deze beide uitersten is echter maar weinig te zien, hoewel we hier wel twee reuzen uit de Griekse mythologie tegenkomen: de Slangendrager en Hercules (Grieks: Herakles), die twaalf schijnbaar onoplosbare opdrachten moest uitvoeren, voordat hij als onsterfelijke tot de goddelijke berg Olympus werd toegelaten.

Hercules is qua oppervlak een van de grootste sterrenbeelden — meer dan tweemaal zo groot als bijvoorbeeld het bekende sterrenbeeld Orion. Hij staat overigens ondersteboven aan de hemel, met een van zijn benen naar de Draak gericht, het sterrenbeeld dat zich aan de noordelijke hemel om de Poolster kronkelt. Onder Hercules is met enige moeite de Slangendrager te her-

kennen, die aan de Esculaap, de Griekse god van de geneeskunst, herinnert. De Slangendrager hoort eigenlijk bij de sterrenbeelden van de ecliptica, want in december komt de zon bij haar schijnbare beweging langs de sterrenhemel binnen zijn grenzen. Aan de westelijke hemel valt de oranjegele ster Arcturus, hoofdster van de Ossenhoeder of Boötes op. Met zijn afstand van 37 lichtjaar behoort deze nu al tot de meest nabije sterren, en hij komt nog steeds dichterbij.

Ver in het zuidoosten komt nog vóór middernacht de helderrode planeet **Mars** op, die zich de komende weken tot dé blikvanger van de avondhemel zal ontwikkelen.

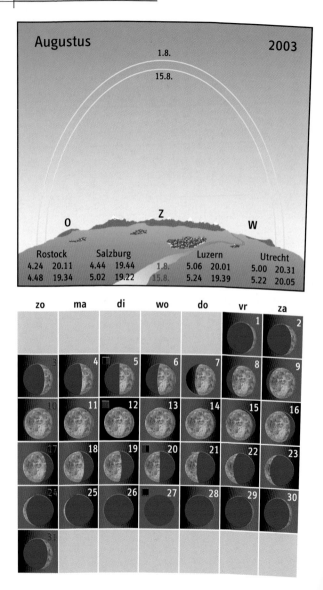

Augustus   2003

1.8.
15.8.

O   Z   W

Rostock	Salzburg		Luzern	Utrecht
4.24 20.11	4.44 19.44	1.8.	5.06 20.01	5.00 20.31
4.48 19.34	5.02 19.22	15.8.	5.24 19.39	5.22 20.05

zo	ma	di	wo	do	vr	za
					1	2
3	4	5	6	7	8	9
10	11	12	13	14	15	16
17	18	19	20	21	22	23
24	25	26	27	28	29	30
31						

planetenloop

avondhemel   ochtendhemel

Mercurius doorloopt op 14.8 zijn grootste oostelijke elongatie, maar staat erg laag boven de horizon en steekt niet of nauwelijks tegen de schemering af.

Venus bereikt op 18.8 haar bovenconjunctie en trekt achter de zon langs; ze is deze maand dus niet te zien.

Mars komt op 28.8 in oppositie met de zon. Doordat hij zich dan vrijwel in het perihelium van zijn baan bevindt, nadert hij de aarde zeer dicht.

Jupiter is op 22.8 in conjunctie met de zon en is deze maand dus niet te zien; hij beweegt achter de zon langs.

Saturnus komt halverwege de maand ongeveer 4 uur voor de zon op en is dan als heldere ster waarneembaar in de Tweelingen.

Uranus bereikt op 24.8 zijn jaarlijkse oppositie. Jammer genoeg komt hij niet erg ver boven de horizon uit, waardoor hij niet makkelijk waarneembaar is.

Samenstanden e.a. verschijnselen
(alle tijden in MET)

13.8	22 u	de maan 3 graden ten noordoosten van Mars
14.8	22 u	Mercurius in gr. oostelijke elongatie (27°)
18.8	19 u	Venus in bovenconjunctie
22.8	11 u	Jupiter in conjunctie
24.8	2 u	de maan 7 graden ten noordoosten van Saturnus
24.8	11 u	Uranus in oppositie met de zon
27.8	11 u	Mars dicht bij de aarde (55.757 milj. km)
28.8	19 u	Mars in oppositie met de zon

Omstreeks 12.8 zijn veel meteoren te zien. Rond die tijd doorkruist de aarde de baan van de komeet Swift-Tuttle en dringen stofdeeltjes, die zich langs die baan verdeeld hebben, de aardatmosfeer binnen.

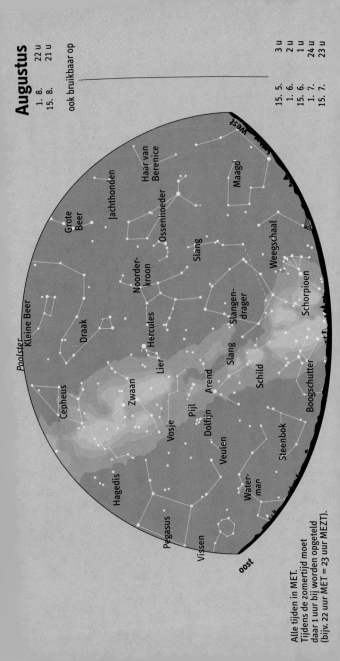

Augustus

1. 8. 22 u
15. 8. 21 u

ook bruikbaar op

15. 5. 3 u
1. 6. 2 u
15. 6. 1 u
1. 7. 24 u
15. 7. 23 u

Poolster
Kleine Beer
Draak
Cepheus
Hagedis
Pegasus
Vissen
Zwaan
Vosje
Dolfijn
Pijl
Veulen
Water-man
Lier
Hercules
Arend
Steenbok
Noorder-kroon
Slang
Slangen-drager
Schild
Boogschutter
Slang
Weegschaal
Schorpioen
Grote Beer
Jachthonden
Haar van Berenice
Ossenhoeder
Maagd

West

oost

Alle tijden in MET.
Tijdens de zomertijd moet
daar 1 uur bij worden opgeteld
(bijv. 22 uur MET = 23 uur MEZT).

In **augustus** krimpt de duur van het daglicht van ca. 15 naar iets meer dan 13,5 uur. Het wordt steeds vroeger donker. In overeenstemming daarmee geeft bovenstaande sterrenkaart de situatie van 22 uur MET (= 23 uur zomertijd) weer – bij het begin van de maand dan, medio augustus een uur eerder.

Wie onthoudt waar de zon is ondergegaan, kan zich vervolgens gemakkelijk langs de donker geworden hemel oriënteren: een blik in noordwestelijke richting is voldoende om halfhoog aan de hemel de Grote Beer op te sporen, die langzaam richting horizon opschuift; wie de denkbeeldige verbindingslijn tussen de beide sterren aan de rechterzijde van de 'steelpan' naar boven toe volgt, komt vanzelf bij de Poolster uit, die ons het noorden wijst. Als we vanuit het noordpunt van de ho-

rizon via de Poolster en het zenit een lijn naar het zuiden trekken, verdelen we de hemel in een oostelijke en een westelijke helft. Deze lijn wordt meridiaan genoemd – een hemellichaam dat deze lijn kruist bereikt op dat moment zijn hoogste punt aan de hemel. De zon kunnen we dus rond het middaguur in de buurt van deze lijn aantreffen. Op het moment waarvoor deze kaart getekend is, staat Wega, hoofdster van de Lier, dichtbij de meridiaan. Wega maakt deel uit van de zogeheten Zomerdriehoek, waartoe ook nog de beide sterren Deneb (in de Zwaan) en Altaïr (in de Arend) behoren. Van deze sterrenbeelden is de Zwaan het gemakkelijkst herkenbaar: zijn sterren vormen een groot kruis, waarvan de contouren een langs het firmament zwevende zwaan aanduiden; de langgerekte nek loopt even-

wijdig aan de vage band van de melkweg, die in de late zomer 's avonds een wijde boog langs de hemel beschrijft. De Arend zelf ten slotte heeft de contouren van een gespannen boog: de heldere ster Altaïr vormt de punt van de pijl (niet te verwarren met het sterrenbeeld met deze naam!). Als we deze pijl in omgekeerde richting volgen, komen we uit bij enkele heldere sterrenwolken in de melkweg, ongeveer op de plaats waar de drie eclipticasterrenbeelden Boogschutter, Slangendrager en Schorpioen aan elkaar grenzen. Hier is ook het centrum van ons melkwegstelsel. Meer naar het oosten sluiten zich de Steenbok en de Waterman aan. In deze laatste vinden we dit jaar ook de opvallend heldere planeet *Mars*. Deze bereikt tegen het einde van de maand zijn kleinste afstand tot de aarde in meer dan 57.000 jaar.

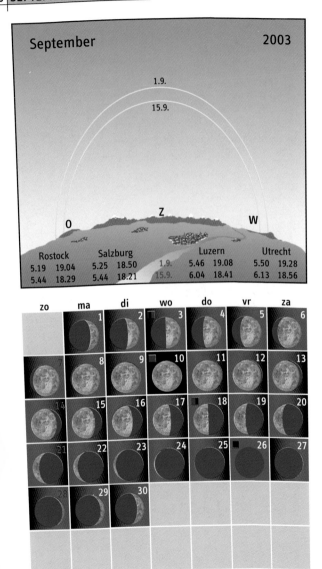

September						2003

1.9.
15.9.

O   Z   W

Rostock		Salzburg		Luzern		Utrecht	
5.19	19.04	5.25	18.50	1.9.	5.46	19.08	5.50	19.28
5.44	18.29	5.44	18.21	15.9.	6.04	18.41	6.13	18.56

zo	ma	di	wo	do	vr	za
	1	2	3	4	5	6
7	8	9	10	11	12	13
14	15	16	17	18	19	20
21	22	23	24	25	26	27
28	29	30				

planetenloop

avondhemel   ochtendhemel

Mercurius is weliswaar op 11.9 in benedenconjunctie, maar duikt twee weken later alweer op aan de ochtendhemel, waar hij in de schemering waarneembaar is.

Venus was afgelopen maand in bovenconjunctie met de zon en probeert nu langs de ecliptica een voorsprong te nemen. Dat gaat echter zo langzaam dat de planeet deze maand nog niet te zien is.

Mars heeft net zijn oppositie achter de rug en loopt retrograad door het sterrenbeeld Waterman. Op 29.9 keert zijn bewegingsrichting weer om.

Jupiter is geleidelijk ver genoeg van de zon verwijderd om tegen het einde van de maand aan de ochtendhemel op te duiken; hij staat oostelijk van Regulus in de Leeuw.

Saturnus komt in de tweede helft van de maand al voor middernacht op en is blikvanger aan de nachthemel, totdat Jupiter op het toneel verschijnt.

Uranus culmineert al een uur voor middernacht en is dan waarneembaar als een zwak groenachtig lichtpuntje boven Mars in het sterrenbeeld Waterman.

Samenstanden e.a. verschijnselen
(alle tijden in MET)

9.9	21 u	de maan 4 graden ten noordoosten van Mars
11.9	3 u	Mercurius in benedenconjunctie
20.9	2 u	de maan 4 graden ten noorden van Saturnus
21.9	2 u	de maand 3 graden ten zuiden van Pollux
23.9	11.47 u	de zon in het herfstpunt (begin herfst)
24.9	5 u	de maan 5 graden ten noorden van Jupiter
27.9	1 u	Mercurius in gr. westelijke elongatie (18°);
		gunstige ochtendverschijning
29.9	15 u	Mars stationair, vervolgens prograad

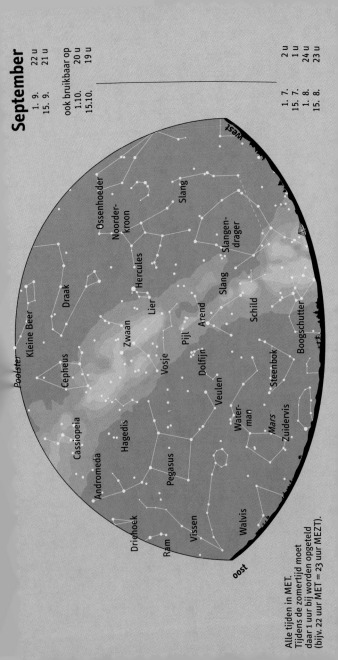

September

1. 9.	22 u
15. 9.	21 u

ook bruikbaar op
1.10.	20 u
15.10.	19 u

1. 7.	2 u
15. 7.	1 u
1. 8.	24 u
15. 8.	23 u

Alle tijden in MET.
Tijdens de zomertijd moet
daar 1 uur bij worden opgeteld
(bijv. 22 uur MET = 23 uur MEZT).

September behoort weliswaar al tot de herfstmaanden, toch is rond het gebruikelijke waarneemtijdstip van 22 uur MET aan het begin van de maand (21 uur halverwege de maand) de Zomerdriehoek nog een prominente verschijning aan de zuidelijke hemel. De drie hoekpunten – Wega in de Lier, Altaïr in de Arend en Deneb in de Zwaan – liggen in resp. aan de rand van de melkweg, die zich vanuit de zuidwestelijke horizon in een wijde boog via de oostelijke hemel tot in het noordoosten uitstrekt.

Laag in het zuidwesten staat het sterrenbeeld Boogschutter op het punt om onder te gaan; zijn heldere sterren markeren de contouren van een kleine theepot. Hij wordt gevolgd door de Steenbok en de Waterman. Nog iets lager steekt in het zuidoosten een stukje

van de Zuidervis, met de hoofdster Fomalhaut, boven de horizon uit, al is daar door de lage stand vaak weinig van te zien.

Verder naar links is Pegasus te zien. Het opvallendste deel van dit sterrenbeeld is het grote vierkant van sterren, dat de romp van het gevleugelde paard uit de Griekse mythologie voorstelt. De Draak vinden we nu aan de noordwestelijke hemel, waar hij een wijde boog om de Poolster vormt; zijn door vier sterren gevormde kop staat niet ver van Wega, terwijl het puntje van zijn staart onder de Poolster, boven de kop van de Grote Beer moet worden gezocht. Deze laatste nadert momenteel zijn laagste positie boven de noordelijke horizon. Tussen de Zwaan, die zojuist de meridiaan gepasseerd is, en de noordoostelijke horizon komen we langs de melkweg

de kleine Hagedis en het Ethiopische koningspaar Cepheus en Cassiopeia tegen, evenals – wat lager aan de horizon en daardoor niet op deze kaart te zien – Perseus en de Voerman, met zijn heldere ster Capella. Deze sterrenbeelden zullen de komende maanden steeds hoger komen te staan en in de late herfst resp. vroege winter de meridiaan kruisen.

Nog steeds domineert de roodachtige planeet *Mars* de aanblik van de hemel boven de zuidelijke horizon. Sinds zijn oppositie van de afgelopen maand beweegt hij westwaarts voor de sterren van de Waterman langs. Tegen het einde van de maand neemt zijn snelheid daarbij duidelijk af en rond de 29ste is zijn oppositielus voltooid.

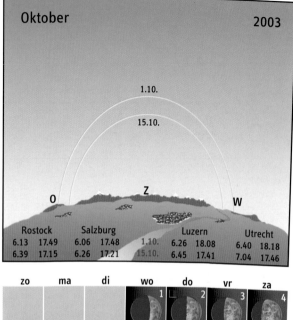

Oktober   2003

1.10.
15.10.

O   Z   W

Rostock		Salzburg			Luzern		Utrecht	
6.13	17.49	6.06	17.48	1.10.	6.26	18.08	6.40	18.18
6.39	17.15	6.26	17.21	15.10.	6.45	17.41	7.04	17.46

zo	ma	di	wo	do	vr	za
			1	2	3	4
5	6	7	8	9	10	11
12	13	14	15	16	17	18
19	20	21	22	23	24	25
26	27	28	29	30	31	

planetenloop

avondhemel   **ochtendhemel**

Mercurius stond aan het eind van de vorige maand in een van de grootste westelijke elongaties en is aan de ochtendhemel waarneembaar.

Venus steekt nog steeds moeizaam af tegen de zonnegloed en is na zonsondergang laag in het zuidwesten te vinden.

Mars heeft zijn oppositielus voltooid en beweegt nu weer met de stroom mee door de Waterman; hij is nog steeds het helderste lichtpunt aan de avondhemel.

Jupiter komt rond het midden van de maand bijna vier uur voor de zon op en domineert de rest van de nacht de aanblik van de oostelijke hemel.

Saturnus komt nu al lang voor middernacht in het noordoosten op; tegen het einde van de maand vertraagt zijn prograde beweging en op 26.10 begint de oppositielus.

Uranus kan na het invallen van de duisternis in het zuidoosten en zuiden worden opgespoord, waar hij langzaam door het sterrenbeeld Waterman beweegt.

Samenstanden e.a. verschijnselen
(alle tijden in MET)

6.10	18 u	de maan 2 graden ten zuidoosten van Mars
17.10	23 u	de maan 6 graden ten noordoosten van Saturnus
18.10	6 u	de maan 3 graden ten zuidwesten van Pollux
21.10	1.30 u	de maan bedekt de ster eta van de Leeuw
21.10	6 u	de maan 4 graden ten noordoosten van Regulus
22.10	3 u	de maan 4 graden ten noordoosten van Jupiter
25.10	10 u	Mercurius in bovenconjunctie
26.10	1 u	Saturnus stationair, vervolgens retrograad

Oktober

1.10.	22 u
15.10.	21 u

ook bruikbaar op

1.11.	20 u
15.11.	19 u
1.12.	18 u

15. 7.	3 u
1. 8.	2 u
15. 8.	1 u
1. 9.	24 u
15. 9.	23 u

Poolster · Kleine Beer

West

Slangen-drager

Giraffe

Cassiopeia

Draak

Hercules

Slang

Lier

Arend

Schild

Zwaan

Boogschutter

Cepheus

Vosje

Pijl

Steenbok

Hagedis

Dolfijn

Perseus

Andromeda

Veulen

Microscoop

Driehoek

Pegasus

Water-man

Zuidervis

Ram

Vissen

Mars

Stier

Walvis

Beeldhouwer

Eridanus

1500

Alle tijden in MET.
Tijdens de zomertijd moet
daar 1 uur bij worden opgeteld
(bijv. 22 uur MET = 23 uur MEZT).

In **oktober** naderen rond de gebruikelijke waarneemtijd de herfststerrenbeelden de meridiaan, de lijn die noord en zuid met elkaar verbindt. Precies op die lijn staat in het zenit de onooglijke Hagedis, waarvan de lichtzwakke sterren een zigzaglijn vormen die een beetje aan het opvallende W-vormige sterrenbeeld Cassiopeia doet denken. In noordelijke richting, op weg naar de Poolster, kruist onze blik Cepheus, de echtgenoot van de Ethiopische koningin Cassiopeia. De helderste sterren van deze figuur vormen de contouren van een enigszins verzakt huis, waarvan de dakpunt ongeveer richting Poolster wijst. Dichterbij de horizon (en daardoor ook buiten de kaart) bereikt de Grote Beer zo'n beetje zijn laagste stand boven de noordelijke horizon. Diep aan de zuidelijke horizon, pas-

seert de Zuidervis de meridiaan. Wie Fomalhaut, de hoofdster, in de nevel bij de horizon niet onmiddellijk kan opsporen, kan proberen de rechterzijde van het vierkant van Pegasus naar onderen toe te verlengen: via het westelijke deel van de Vissen en het oostelijke deel van de Waterman. Fomalhaut is slechts 25 lichtjaar verwijderd. Nog iets dichterbij staat Altaïr, de hoofdster van de Arend (halfhoog in het zuidwesten), waarvan het licht naar ons toe slechts 17 jaar onderweg is. Maar zelfs Altaïr is niet de meest nabije ster in deze hemelstreek: dat is Tau Ceti, de ster waarbij de 'halslijn' van de Walvis onderaan definitief in westelijke richting (naar rechts) afbuigt. Deze ster behoort tot de groep van nabije sterren waarbij naar de aanwezigheid van planeten is gezocht – tot de herfst van 2002 echter

zonder resultaat.

In het 'middelpunt' van de zuidelijke hemel komen we nu het sterrenbeeld Pegasus tegen, het gevleugelde paard uit de Griekse mythologie. Zijn grote romp heeft zojuist de meridiaan bereikt, terwijl zijn gekromde nek en voorpoten al westelijk daarvan staan. Rechts naast de rechterzijde, ongeveer halverwege de beide hoeksterren, staat de niet-afgebeelde en ook weinig opvallende ster 51 Pegasi. Bij deze ster werd in 1995 de eerste 'extrasolaire' planeet of 'exoplaneet' ontdekt. Van de planeten van ons eigen zonnestelsel is **Mars** momenteel het meest opvallend: hij staat bij het invallen van de duisternis in het zuidoosten. Iets later (halverwege de maand rond 22 uur) komt de geringde planeet **Saturnus** in het oosten op.

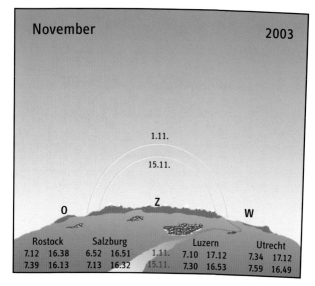

November					2003

1.11.

15.11.

O   Z   W

	Rostock		Salzburg			Luzern		Utrecht	
1.11.	7.12	16.38	6.52	16.51		7.10	17.12	7.34	17.12
15.11.	7.39	16.13	7.13	16.32		7.30	16.53	7.59	16.49

zo	ma	di	wo	do	vr	za
						1
2	3	4	5	6	7	8
9	10	11	12	13	14	15
16	17	18	19	20	21	22
23	24	25	26	27	28	29
30						

planetenloop

avondhemel   ochtendhemel

Mercurius stond aan het eind van de vorige maand in bovenconjunctie met de zon en is daar nog niet ver van verwijderd – hij is dus niet waarneembaar.

Venus neemt maar heel langzaam meer afstand tot de zon en verdwijnt tegen het eind van de maand anderhalf uur na zonsondergang achter de westelijke horizon.

Mars beklimt de ecliptica en nadert de grens van de Vissen; hij is nog steeds duidelijk helderder dan alle sterren in dat gebied.

Jupiter komt reeds minder dan een uur na middernacht op; hij bevindt zich in het sterrenbeeld Leeuw en verwijdert zich van de hoofdster Regulus.

Saturnus beweegt langzaam retrograad door het westelijke deel van de Tweelingen; dit en de gestage helderheidstoename duiden erop dat de oppositie nabij is.

Uranus voltooit zijn oppositielus op 8.11 en gaat in de tweede helft van de maand al voor middernacht onder, waardoor hij alleen nog aan de vroege avondhemel waarneembaar is.

Samenstanden e.a. verschijnselen
(alle tijden in MET)

3.11	18 u	de maan 5 graden ten zuidoosten van Mars
8.11	20 u	Uranus stationair, vervolgens prograad
9.11	2 u	totale maansverduistering
13.11	21 u	de maan 4 graden ten noorden van Saturnus
14.11	21 u	de maan 4 graden ten zuidoosten van Pollux
19.11	3 u	de maan 6 graden ten oosten van Jupiter

Omstreeks 17.11 kunnen opmerkelijk veel meteoren langs de hemel zoeven, omdat de aarde dan de baan van de komeet Tempel-Tuttle kruist; de lichtsporen ontspringen merendeels in het sterrenbeeld Leeuw (Leo) – men noemt deze 'vallende sterren' dan ook Leoniden.

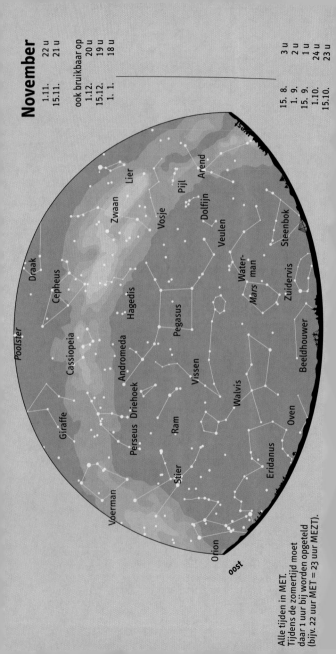

November

1.11.	22 u
15.11.	21 u

ook bruikbaar op

1.12.	20 u
15.12.	19 u
1. 1.	18 u

15. 8.	3 u
1. 9.	2 u
15. 9.	1 u
1.10.	24 u
15.10.	23 u

Alle tijden in MET.
Tijdens de zomertijd moet
daar 1 uur bij worden opgeteld
(bijv. 22 uur MET = 23 uur MEZT).

oost

Poolster

Draak
Cepheus
Lier
Zwaan
Pijl
Arend
Vosje
Dolfijn
Veulen
Water-
man
Mars
Steenbok
Zuidervis
Hagedis
Pegasus
Cassiopeia
Andromeda
Giraffe
Perseus Driehoek
Vissen
Walvis
Beeldhouwer
Ram
Oven
Stier
Eridanus
Voerman
Orion

In **november** is het tijdperk van de zomersterrenbeelden zo'n beetje ten einde. Voor het laatst kunnen we nu op het bekende waarneemtijdstip in het westen de complete Zomerdriehoek zien, met Wega in de Lier, Deneb in de Zwaan en Altaïr in de Arend. Wega en Altaïr vinden we aan weerszijden van de melkweg, die een steile boog van de westelijke horizon via het zenit naar de oostelijke horizon vormt. Als we dit zwakke schijnsel een stukje naar boven toe volgen, komen we na de kleine Hagedis en Cepheus uit bij het W-vormige sterrenbeeld Cassiopeia dat in de buurt van het zenit de meridiaan passeert. Het is de moeite waard om nu even in zuidelijke richting af te dalen, tot we het sterrenbeeld Andromeda tegenkomen. In het bovenste gedeelte daarvan lijkt zich een apart stukje melkweg te

bevinden: een langwerpige lichtvlek die zich – in tegenstelling tot de melkweg zelf – niet met een verrekijker in afzonderlijke sterren laat oplossen. Nog maar een eeuw geleden waren sterrenkundigen het er niet over eens of 'nevels' als deze tot ons melkwegstelsel behoren of veel verder weg staan. Pas in de jaren 1920 werd duidelijk dat het om verre, zelfstandige melkwegstelsels zou gaan. Wie de Andromedanevel niet wil missen kan het beste uitgaan van de ster die het linkerbovenpunt van het Herfstvierkant vormt, de plek waar de sterrenbeelden Andromeda en Pegasus aan elkaar vast zitten. Vandaaruit volgt men de sterrenketen van Andromeda in oostelijke richting, tot men bij de tweede ster aankomt. Daar neemt men de 'afslag' naar het noorden en volgt deze twee sterren. De Andromedanevel staat

vlak bij de laatste. Als de hemel niet optimaal helder is, kan het nuttig zijn om er een verrekijker bij te pakken.

Sterrenkundigen delen de Andromedanevel wegens zijn vorm in bij de groep van de spiraalnevels, waartoe ook ons eigen melkwegstelsel behoort.

Onder Andromeda en Pegasus strekt zich het grote, maar onopvallende ecliptische sterrenbeeld van de Vissen uit. In dit hemelgebied kruist de ecliptica, de 'hoofdverkeersader' van het zonnestelsel, de hemelequator – op die positie staat de zon altijd in het voorjaar. De komende weken zal de planeet *Mars* dit 'lentepunt' steeds dichter naderen, om het medio december te passeren. Behalve Mars is ook de geringde planeet *Saturnus* een groot deel van de avond en nacht te zien.

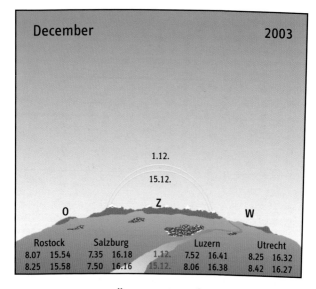

December   2003

1.12.

15.12.

Z

O   W

Rostock   Salzburg   Luzern   Utrecht
8.07 15.54   7.35 16.18   1.12.   7.52 16.41   8.25 16.32
8.25 15.58   7.50 16.16   15.12.   8.06 16.38   8.42 16.27

zo	ma	di	wo	do	vr	za
	1	2	3	4	5	6
7	8	9	10	11	12	13
14	15	16	17	18	19	20
21	22	23	24	25	26	27
28	29	30	31			

planetenloop

avondhemel   **ochtendhemel**

Mercurius bereikt weliswaar op 9.12 zijn grootste oostelijke elongatie van 21 graden, maar is niet te zien aan de avondhemel; op 27.12 is hij in conjunctie met de zon.

Venus bouwt haar afstand tot de zon gestaag uit en gaat rond de jaarwisseling al bijna drie uur na zonsondergang onder; ze is nu een stralende avondster.

Mars gaat nog steeds rond dezelfde tijd onder en kan de eerste helft van de nacht in het sterrenbeeld Vissen worden aangetroffen, alwaar zijn culminatiehoogte verder toeneemt.

Jupiter komt nu reeds voor middernacht op en nadert bij zijn beweging door de Leeuw het naburige sterrenbeeld Maagd.

Saturnus is op 31.12 in oppositie met de zon en is dus de gehele nacht waarneembaar in het westelijke deel van het sterrenbeeld Tweelingen.

Uranus staat bij het einde van de schemering nog slechts 20 graden boven de horizon, waardoor het niet meer zo makkelijk is om hem (in het westelijke deel van de Waterman) op te sporen.

Samenstanden e.a. verschijnselen
(alle tijden in MET)

1.12	23 u	de maan 4 graden ten zuidoosten van Mars
9.12	7 u	Mercurius in gr. oostelijke elongatie (21°)
10.12	21 u	de maan 4 graden ten noorden van Saturnus
11.12	23 u	de maan 2 graden ten zuiden van Pollux
14.12	23 u	de maan 4 graden ten noordoosten van Regulus
16.12	7 u	de maan 3 graden ten noorden van Jupiter
22.12	8.04 u	de zon in het winterpunt (begin winter)
25.12	17 u	de maan 4 graden ten zuiden van Venus
27.12	2 u	Mercurius in benedenconjunctie
30.12	18 u	de maan 5 graden ten zuidoosten van Mars
31.12	22 u	Saturnus in oppositie met de zon

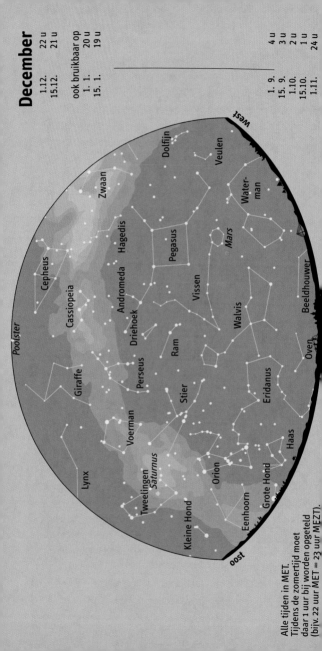

December

1.12.	22 u
15.12.	21 u

ook bruikbaar op
1. 1.	20 u
15. 1.	19 u

1. 9.	4 u
15. 9.	3 u
1.10.	2 u
15.10.	1 u
1.11.	24 u

Alle tijden in MET.
Tijdens de zomertijd moet
daar 1 uur bij worden opgeteld
(bijv. 22 uur MET = 23 uur MEZT).

In **december** tekent zich een duidelijke verandering aan de avondhemel af. De tijd dat er nauwelijks echt heldere sterren aan het firmament te zien waren is voorbij. Aan de oostelijke hemel zijn namelijk de wintersterrenbeelden tevoorschijn gekomen, en deze bevatten een aanzienlijk aantal heldere sterren. De optocht opent met de Stier, wiens roodachtige hoofdster Aldebaran aan de linkerkant van een V-vormige groep sterren staat die de contouren van de stierenkop vormt. Deze sterren, de zogeheten Hyaden, vormen een van de meest nabije sterrenhopen die we kennen; hun afstand bedraagt ongeveer 155 lichtjaar. Aldebaran zelf hoort trouwens niet bij deze groep, want zijn afstand is slechts 65 lichtjaar.

Op de 'rug' van de Stier vinden we nog een tweede sterrenhoop: de Pleiaden.

Deze groep, die meer dan 250 sterren telt, wordt ook wel het Zevengesternte genoemd, omdat we met het blote oog (ongeveer) zeven van deze sterren kunnen zien. Zijn afstand bedraagt ongeveer 390 lichtjaar.

Rechts van de Stier staan twee kleine, onooglijke sterrenbeelden die zojuist de meridiaan bereikt hebben: de Driehoek en de Ram, die tot de eclipticasterrenbeelden behoort. Daaronder is de kop van het zeemonster te zien, dat een rol speelt in de Griekse sage over Andromeda, Cassiopeia en Cepheus. Bij gebrek aan een gelijkwaardig monster noemen we dit sterrenbeeld tegenwoordig Walvis. Ook Perseus hoort bij het verhaal, want hij was het die Andromeda uit de greep van het zeemonster wist te redden. Aan de hemel vinden we Perseus tussen Cassiopeia en

de Voerman: hij heeft de vorm van een kromme wichelroede. Ver van de heldere stadsverlichting kan men tussen Cassiopeia en Perseus een wazig lichtvlekje zien staan, dat gezien door een verrekijker in twee afzonderlijke sterrenhopen oplost.

Terwijl **Mars** in het sterrenbeeld Vissen de hemelequator in noordelijke richting overschrijdt, en ongeveer dezelfde positie heeft als de zon in het voorjaar, vinden we de geringde planeet **Saturnus** juist op de plek waar de zon eind juni staat: het westelijke deel van de Tweelingen. De planeet volgt nu een wijde boog langs de hemel en is bijna de gehele avond en nacht te zien. Dat laatste duidt erop dat zijn oppositie nadert.

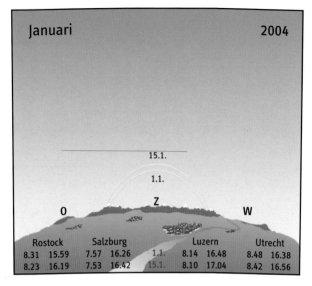

Januari   2004

15.1.

1.1.

Z

O   W

Rostock		Salzburg			Luzern		Utrecht	
8.31	15.59	7.57	16.26	1.1.	8.14	16.48	8.48	16.38
8.23	16.19	7.53	16.42	15.1.	8.10	17.04	8.42	16.56

zo	ma	di	wo	do	vr	za
				1	2	3
4	5	6	7	8	9	10
11	12	13	14	15	16	17
18	19	20	21	22	23	24
25	26	27	28	29	30	31

planetenloop

avondhemel   ochtendhemel

Mercurius heeft de aarde binnendoor ingehaald en bereikt op 17.1 zijn grootste westelijke elongatie. Desalniettemin is de planeet momenteel niet zichtbaar.

Venus vergroot haar hoekafstand tot de zon tot bijna 40 graden en gaat tegen het einde van de maand al meer dan drieënhalf uur na de zon onder.

Mars gaat nog steeds in het uur na middernacht onder, maar zijn helderheid neemt duidelijk af; hij nadert het sterrenbeeld Ram.

Jupiter keert op 4.1 van bewegingsrichting om en begint aan zijn oppositielus, die hem weer in de buurt van Regulus – de helderste ster van de Leeuw – brengt.

Saturnus stond op de laatste dag van het oude jaar in oppositie en is dus nog steeds de hele nacht waarneembaar in het westelijke deel van de Tweelingen.

Uranus neemt afscheid van de avondhemel: zijn hoekafstand tot de zon is nu zo ver afgenomen, dat de planeet niet meer waarneembaar is.

Samenstanden e.a. verschijnselen
(alle tijden in MET)

4.1	19 u	aarde het dichtst bij de zon (147,1 milj. km)
4.1	19 u	Jupiter stationair, vervolgens retrograad
7.1	3 u	de maan 4 graden ten noorden van Saturnus
8.1	7 u	de maan 3 graden ten zuiden van Pollux
11.1	5 u	de maan 4 graden ten noordoosten van Regulus
12.1	23 u	de maan 6 graden ten oosten van Jupiter
14.1	3.30 u	de maan bedekt de ster gamma van de Maagd
15.1	6 u	de maan 3 graden ten noordoosten van Spica
17.1	10 u	Mercurius in gr. westelijke elongatie (24°)
24.1	19 u	de maan 4 graden ten zuiden van Venus
28.1	19 u	de maan 6 graden ten oosten van Mars

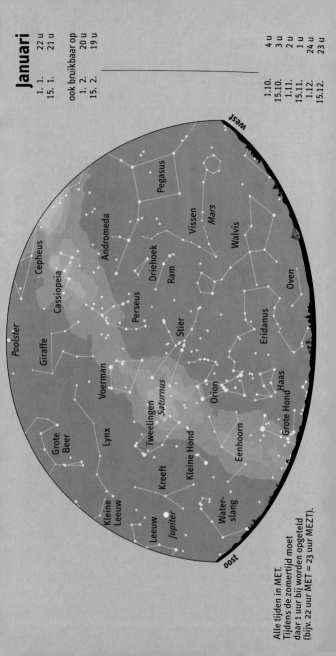

Januari

| 1. 1. | 22 u |
| 15. 1. | 21 u |

ook bruikbaar op
| 1. 2. | 20 u |
| 15. 2. | 19 u |

1.10.	4 u
15.10.	3 u
1.11.	2 u
15.11.	1 u
1.12.	24 u
15.12.	23 u

West

Pegasus

Andromeda

Cepheus

Cassiopeia

Driehoek

Ram

Vissen

Mars

Walvis

Oven

Perseus

Poolster

Giraffe

Stier

Eridanus

Voerman

Saturnus

Orion

Haas

Grote
Beer

Lynx

Tweelingen

Kleine Hond

Grote Hond

Eenhoorn

Kleine
Leeuw

Kreeft

Leeuw

Jupiter

Water-
slang

Oost

Alle tijden in MET.
Tijdens de zomertijd moet
daar 1 uur bij worden opgeteld
(bijv. 22 uur MET = 23 uur MEZT).

De maand **januari** is een uitermate geschikte tijd om de sterrenhemel voor het eerst met een verrekijker of telescoop te bekijken. De winterhemel biedt tal van interessante waarneemobjecten die niet of nauwelijks met het blote oog zichtbaar zijn.

De groep wintersterrenbeelden heeft inmiddels de meridiaan bereikt: hoog in het zuiden schittert de Stier, waarvan overigens alleen de V-vormige kop (de sterrenhoop Hyaden) en de beide hoorns te zien zijn, omdat bij de legendarische ontvoering van Europa alleen dat deel van de Stier boven het water van de Middellandse Zee uitkwam. De hemelse Stier, waarachter niemand minder dan de oppergod Zeus schuilgaat, draagt een groepje van zeven maagden op zijn rug: het Zevengesternte of de Pleiaden. Beide zijn door

een verrekijker nog indrukwekkender, omdat dan ook de wat zwakkere sterren van de beide sterrenhopen te zien zijn. Links onder de Stier nadert de hemeljager Orion. Zijn indrukwekkende gestalte wordt door twee heldere sterren geflankeerd: de roodachtige Betelgeuze markeert de linkerschouder, de witachtige Rigel de rechtervoet. Ongeveer halverwege deze twee sterren vinden we een drietal sterren van ongeveer gelijke helderheid, die de gordel van Orion vormen. Iets onder deze gordel is met een verrekijker een heldere nevelvlek te zien: de grote Orionnevel.

Als we de lijn van de drie gordelsterren naar linksonder voortzetten, komen we uit bij Sirius, de helderste ster die we aan de nachthemel kunnen zien staan. Het is de hoofdster van de Grote Hond die, samen met de Kleine Hond (iets

verder naar linksboven), Orion op de voet volgt. Bijna in het zenit straalt Capella, de heldere hoofdster van de Voerman; de rest van dit sterrenbeeld bestaat uit een onregelmatige vijfhoek. Vroeger hoorde hier nog een zesde ster bij, maar deze wordt tegenwoordig tot de Stier gerekend, waar hij de bovenste stierenhoorn markeert.

Het naburige sterrenbeeld Tweelingen wordt deze winter opgeluisterd door de planeet **Saturnus**, die in het westelijke deel van dit sterrenbeeld momenteel bezig is met zijn oppositielus. Wie nog even wacht, kan in het oosten de reuzenplaneet **Jupiter** zien opkomen, die nu in het sterrenbeeld Leeuw staat.

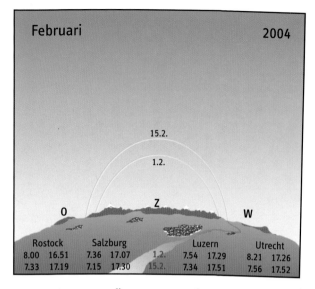

Februari 2004

15.2.
1.2.

O   Z   W

	Rostock		Salzburg		Luzern		Utrecht
1.2.	8.00	16.51	7.36	17.07	7.54	17.29	8.21	17.26
15.2.	7.33	17.19	7.15	17.30	7.34	17.51	7.56	17.52

zo	ma	di	wo	do	vr	za
1	2	3	4	5	6	7
8	9	10	11	12	13	14
15	16	17	18	19	20	21
22	23	24	25	26	27	28
29						

planetenloop

avondhemel   ochtendhemel

Mercurius komt bij zijn baanbeweging om de zon in het gedeelte dat – van ons uit gezien – achter de zon ligt. Hij is deze maand dus niet te zien.

Venus verwijdert zich nog steeds langzaam van de zon; ze gaat nu meer dan vier uur na zonsondergang onder en domineert de avondhemel.

Mars stijgt nog steeds op langs de ecliptica en kan zo, ondanks de afnemende hoekafstand tot de zon, zijn ondergang tot na middernacht uitstellen.

Jupiter nadert zijn oppositie: in de tweede helft van de maand komt hij al voor het einde van de schemering in het oosten op en is hij vervolgens de gehele nacht te zien.

Saturnus beweegt tegen het einde van de maand steeds langzamer westwaarts door de Tweelingen: het einde van de oppositielus is in zicht.

Uranus is op 22.2 in conjunctie met de zon en staat met laatstgenoemde aan de daghemel; hij is dus niet waarneembaar.

Samenstanden e.a. verschijnselen
(alle tijden in MET)

3.2	5 u	de maan 4 graden ten noorden van Saturnus
4.2	19 u	de maan 5 graden ten zuidoosten van Pollux
7.2	6 u	de maan 4 graden ten noorden van Regulus
8.2	2 u	de maan 4 graden ten oosten van Jupiter
11.2	6 u	de maan 4 graden ten noorden van Spica
22.2	3 u	Uranus in conjunctie
23.2	21 u	de maan 4 graden ten zuiden van Venus
25.2	23 u	de maan 3 graden ten zuidwesten van Mars

Februari

1. 2. 22 u
15. 2. 21 u

ook bruikbaar op
1. 3. 20 u

15.10. 5 u
1.11. 4 u
15.11. 3 u
1.12. 2 u
15.12. 1 u
1. 1. 24 u

Alle tijden in MET.
Tijdens de zomertijd moet
daar 1 uur bij worden opgeteld
(bijv. 22 uur MET = 23 uur MEZT).

west

oost

Poolster

Draak

Grote Beer

Giraffe

Cassiopeia

Andromeda

Driehoek

Ram

Vissen

Mars

Venus

Walvis

Eridanus

Stier

Perseus

Voerman

Lynx

Kleine Leeuw

Leeuw

Maagd

Jupiter

Kreeft

Tweelingen

Saturnus

Kleine Hond

Water-
slang

Sextant

Eenhoorn

Orion

Grote Hond

Haas

Duif

Achtersteven

In **februari** bereikt het schouwspel van de wintersterrenbeelden zijn hoogtepunt. Op het bekende waarneemtijdstip (aan het begin van de maand om ongeveer 22 uur, halverwege de maand een uur eerder) staat de 'Winterzeshoek' in de beste waarneempositie, d.w.z. rond de meridiaan. De onregelmatige zeshoek wordt gevormd door (met de klok mee) Capella, de hoofdster van de Voerman, Aldebaran van de Stier, Rigel van Orion, Sirius van de Grote Hond, Procyon van de Kleine Hond en Castor of Pollux van de Tweelingen. Naast deze zes of zeven sterren, die alle tot de helderste sterren behoren, fonkelen nog meer hemellichtjes aan de winterhemel die deel uitmaken van de helderste categorieën: de roodachtige Betelgeuze, die de linkerschouder van de hemeljager Orion markeert, maar ook Bellatrix, zijn

rechterschouderster, en twee van de drie gordelsterren horen daarbij, evenals drie sterren van de Grote Hond, Menkalinan, links van Capella, en Alnath, die de bovenste van de beide stierenhoorns markeert. Alles bij elkaar gaat het om 16 sterren die tot de hoogste helderheidsklassen behoren, en dat in een hemelgebied dat amper 80 graden groot is. (In de vroege zomer is een stuk hemel van dezelfde omvang te zien, waarbinnen slechts één heldere ster wordt aangetroffen; met de herfsthemel is het nog droever gesteld.)

Ondanks deze 'zee van licht' is het nu ook een geschikte tijd om naar wat minder opvallende sterrenbeelden uit te kijken. Tussen de Grote en de Kleine Hond 'verstopt' zich bijvoorbeeld de mythologische Eenhoorn, wiens hoorn in de richting van Betelgeuze in het sterren-

beeld Orion wijst. En tussen de Voerman en de Poolster wandelt de Giraffe langs de hemel, op de voet gevolgd door de Lynx, die de ruimte tussen de Voerman en de Tweelingen enerzijds en de Grote Beer anderzijds opvult.

Zelfs de Kreeft, die tot de eclipticasterrenbeelden behoort, kan slechts twee sterren van de derde grootteklasse bijdragen, de rest is lichtzwakker. De heldere *Jupiter* beweegt zich in de richting van Regulus, de hoofdster van de Leeuw. Ook *Saturnus* beweegt tegen de stroom in, maar dan in het westelijke deel van de Tweelingen. Ondertussen is *Mars* aangekomen in de Ram, waardoor hij alleen nog gedurende de eerste helft van de nacht te zien is. Op het gewoonlijke waarneemtijdstip is *Venus* al ondergegaan; eerder op de avond is de planeet als heldere 'avondster' te zien.

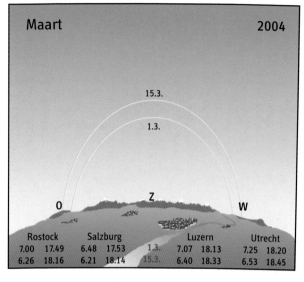

| Maart | | | | | | 2004 |

15.3.

1.3.

O   Z   W

Rostock		Salzburg			Luzern		Utrecht	
7.00	17.49	6.48	17.53	1.3.	7.07	18.13	7.25	18.20
6.26	18.16	6.21	18.14	15.3.	6.40	18.33	6.53	18.45

zo	ma	di	wo	do	vr	za
	1	2	3	4	5	6
7	8	9	10	11	12	13
14	15	16	17	18	19	20
21	22	23	24	25	26	27
28	29	30	31			

planetenloop

avondhemel   ochtendhemel

Mercurius trekt op 4.3 van ons uit gezien achter de zon langs en duikt tegen het einde van de maand aan de avondhemel op; op 29.3 bereikt hij daar zijn grootste oostelijke elongatie.

Venus staat vrijwel gelijktijdig met Mercurius in haar grootste oostelijke elongatie, maar staat daarbij meer dan tweemaal zo ver van de zon; ook Venus is 's avonds te zien.

Mars is inmiddels aangekomen in het sterrenbeeld Stier en gaat nog steeds na middernacht onder; zijn zichtbaarheidsduur neemt echter duidelijk af.

Jupiter bereikt op 4.3 zijn oppositie van dit jaar; in het sterrenbeeld Leeuw beweegt hij langzaam retrograad op de hoofdster Regulus af.

Saturnus is bij het invallen van de duisternis al aan het westelijke deel van de hemel te vinden; hij staat in het sterrenbeeld Tweelingen en gaat pas ver na middernacht onder.

Uranus staat na zijn conjunctie van afgelopen maand nog steeds dichtbij de zon; hij verhuist naar de ochtendhemel, maar is nog niet waarneembaar.

Samenstanden e.a. verschijnselen
(alle tijden in MET)

2.3	21 u	de maan 2 graden ten zuiden van Pollux
4.3	3 u	Mercurius in bovenconjunctie
4.3	6 u	Jupiter in oppositie met de zon
5.3	20 u	de maan 4 graden ten noordoosten van Regulus
6.3	20 u	de maan 3 graden ten noordoosten van Jupiter
7.3	17 u	Saturnus stationair, vervolgens prograad
13.3	4 u	de maan 4 graden ten oosten van Antares
20.3	7.47 u	de zon in het lentepunt (begin lente)
24.3	21 u	de maan 3 graden ten zuiden van Venus
25.3	22 u	de maan 2 graden ten westen van Mars
28.3	22 u	de maan 4 graden ten noorden van Saturnus
29.3	13 u	Mercurius in gr. oostelijke elongatie (19°), gunstige avondverschijning
29.3	18 u	Venus in gr. oostelijke elongatie (46°; avondster)
30.3	2 u	de maan 4 graden ten zuidwesten van Pollux

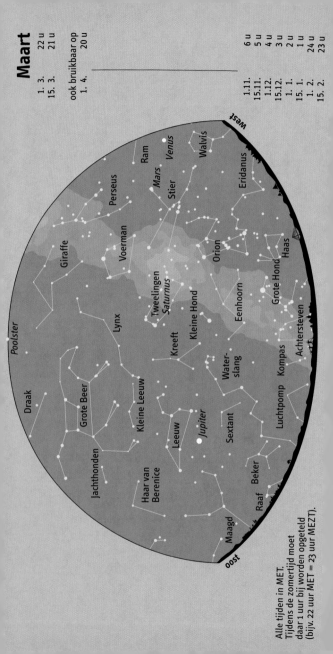

Maart

1. 3. 22 u
15. 3. 21 u

ook bruikbaar op
1. 4. 20 u

1.11. 6 u
15.11. 5 u
1.12. 4 u
15.12. 3 u
1. 1. 2 u
15. 1. 1 u
1. 2. 24 u
15. 2. 23 u

West

Ram

Venus

Mars

Walvis

Perseus

Stier

Giraffe

Voerman

Eridanus

Orion

Poolster

Tweelingen

Saturnus

Haas

Lynx

Kleine Hond

Grote Hond

Eenhoorn

Draak

Kreeft

Grote Beer

Kleine Leeuw

Waterslang

Achtersteven

Jachthonden

Leeuw

Jupiter

Sextant

Kompas

Luchtpomp

Haar van Berenice

Beker

Raaf

Maagd

Oost

Alle tijden in MET.
Tijdens de zomertijd moet
daar 1 uur bij worden opgeteld
(bijv. 22 uur MET = 23 uur MEZT).

In **maart** hebben de wintersterrenbeelden zich op het gebruikelijke waarneemtijdstip al teruggetrokken op de westelijke hemelhelft, doch de komende voorjaarssterrenbeelden bieden niet zoveel heldere sterren als de winterhemel. Zo komen we in het gebied rond de machtige Leeuw slechts twee sterren van de helderste grooteklassen tegen: Regulus, de hoofdster van de Leeuw, en Alphard, de hoofdster van de Waterslang, die overigens maar nét tot de heldere sterren kan worden gerekend. Het sterrenbeeld Leeuw doet denken aan het zijaanzicht van een liggende katachtige. Regulus en de boog van sterren aan zijn linkerzijde vormen het profiel van de kop en de borst van het dier, de rest vormt een langgerekt lijf. Aan het uiteinde daarvan, waar de staart moet beginnen, vinden we de

ster Denebola. Boven de kop van de Leeuw hurkt de Kleine Leeuw, die naar 'boven' toe bijna de klauwen van de Grote Beer raakt. Omdat dit kleine sterrenbeeld slechts uit zwakke sterren bestaat, is het niet gemakkelijk te herkennen en valt nauwelijks op waar de Kleine Leeuw ophoudt en de Grote Beer begint.

De Grote Beer zelf stijgt ondertussen in het oosten op en heeft met zijn 'neus' bijna de meridiaan bereikt. De heldere sterren van dit sterrenbeeld beperken zich tot de rug en de staart van de 'beer'. In de volksmond worden de zeven sterren ook wel de 'steelpan' genoemd: vier sterren vormen de pan zelf, de drie andere de steel. Als men de denkbeeldige verbindingslijn tussen de beide sterren aan de rechterzijde van de 'steelpan' naar 'boven' toe verlengt

(ervan uitgaande dat men de 'pan' rechtop houdt), komt men een stukje verderop vanzelf de Poolster, de hoofdster van de Kleine Beer tegen.

Alles bij elkaar is de maarthemel dit jaar interessanter dan andere jaren, omdat *Jupiter* in de Leeuw zijn oppositie bereikt, waardoor hij de gehele nacht zichtbaar is als een opvallend heldere ster. Ook *Saturnus* in het sterrenbeeld Tweelingen fleurt de hemelaanblik een beetje op. En zelfs *Venus* is aan de avondhemel ver genoeg van de zon verwijderd om een keer op deze maandkaart afgebeeld te staan. De roodachtige planeet *Mars* staat in de Stier, maar is eigenlijk geen schim meer van de prachtige verschijning van de afgelopen herfst.

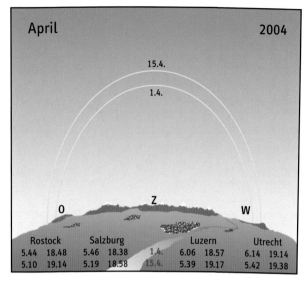

| April | | | | | | 2004 |

15.4.
1.4.

O   Z   W

	Rostock		Salzburg			Luzern		Utrecht
1.4.	5.44	18.48	5.46	18.38	1.4.	6.06	18.57	6.14	19.14
15.4.	5.10	19.14	5.19	18.58	15.4.	5.39	19.17	5.42	19.38

zo	ma	di	wo	do	vr	za
				1	2	3
4	5	6	7	8	9	10
11	12	13	14	15	16	17
18	19	20	21	22	23	24
25	26	27	28	29	30	

planetenloop

avondhemel   **ochtendhemel**

Mercurius is aanvankelijk nog aan de avondhemel te vinden, maar wordt vervolgens ingehaald door de zonnegloed; op 17.4 is hij in benedenconjunctie.

Venus nadert aan de avondhemel de roodachtige planeet Mars, maar maakt tegen het einde van de maand rechtsomkeert, zonder dat het tot een echte ontmoeting is gekomen.

Mars gaat nu voor middernacht onder, maar dat is nog altijd meer dan vier uur na zonsondergang; de naburige, heldere Venus kan als wegwijzer dienen.

Jupiter vertraagt tegen het einde van de maand zijn retrograde beweging door de Leeuw, hetgeen duidt op de voltooiing van zijn oppositielus.

Saturnus trekt zich geleidelijk uit de tweede helft van de nacht terug en gaat tegen het einde van de maand al in het eerste uur na middernacht onder.

Uranus komt pas in het zuidoosten op als de ochtendschemering allang begonnen is; hij is deze maand dus nog steeds niet waarneembaar.

Samenstanden e.a. verschijnselen
(alle tijden in MET)

2.4	4 u	de maan 4 graden ten noorden van Regulus
2.4	20 u	de maan 3 graden ten noorden van Jupiter
5.4	21 u	de maan 4 graden ten noorden van Spica
9.4	4 u	de maan 1 graad ten noorden van Antares
17.4	2 u	Mercurius in benedenconjunctie
23.4	21 u	de maan 4 graden ten oosten van Venus
23.4	22 u	de maan 2 graden ten noorden van Mars
24.4	23 u	de maan 6 graden ten noordwesten van Saturnus
26.4	21 u	de maan 4 graden ten zuidoosten van Pollux
29.4	22 u	de maan 6 graden ten oosten van Regulus
30.4	2 u	de maan 3 graden ten noorden van Jupiter

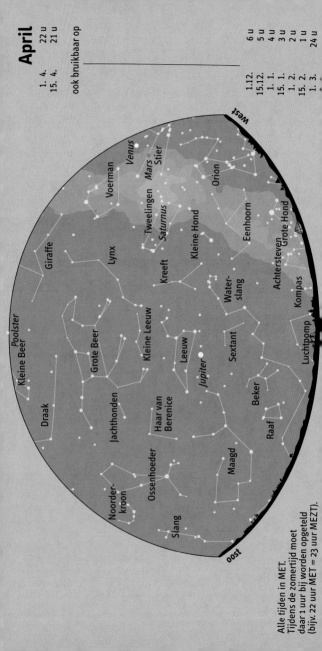

April

1. 4. 22 u
15. 4. 21 u

ook bruikbaar op

1.12. 6 u
15.12. 5 u
1. 1. 4 u
15. 1. 3 u
1. 2. 2 u
15. 2. 1 u
1. 3. 24 u

Alle tijden in MET.
Tijdens de zomertijd moet
daar 1 uur bij worden opgeteld
(bijv. 22 uur MET = 23 uur MEZT).

WEST

ZUID

Poolster
Kleine Beer
Giraffe
Voerman
Venus
Mars
Stier
Lynx
Tweelingen
Saturnus
Orion
Draak
Grote Beer
Kleine Leeuw
Kreeft
Kleine Hond
Eenhoorn
Jachthonden
Haar van
Berenice
Leeuw
Water-
slang
Achtersteven
Grote Hond
Kompas
Noorder-
kroon
Ossenhoeder
Jupiter
Sextant
Beker
Luchtpomp
Slang
Maagd
Raaf

In **april** is er geleidelijk steeds minder te doen aan de nachtelijke sterrenhemel. Enerzijds verdwijnen de eerste wintersterrenbeelden van het hemelse toneel, en anderzijds valt de duisternis door de nu geldende zomertijd een uur later in. Bij de normale waarneemtijd (21 uur MEZ in het midden van de maand, begin van de maand een uur eerder) staat dan hoog in het zuiden de Leeuw met Regulus, zijn hoofdster die zich op een afstand van ongeveer 78 lichtjaar bevindt. We zien deze ster nu dus zoals hij er in 1925 'uitzag', want het licht dat hij toen uitzond, komt nu pas bij ons aan. Zijn buurster, die twee grootteklassen zwakker is, bevindt zich echter op een afstand van meer dan 2100 lichtjaar – het 'huidige' licht daarvan is dus uitgezonden vóór onze jaartelling! Op vergelijkbare afstand tot Re-

gulus, maar dan linksonder ervan, staat een ster wiens licht 5500 jaar onderweg is geweest – dat schijnsel komt dus uit de tijd dat in Mesopotamië de eerste hoogontwikkelde culturen begonnen.

Het grote gebied 'onder' de Leeuw wordt gevuld door de Waterslang, dat qua oppervlak het grootste van alle 88 sterrenbeelden is. Vanwege hun tamelijk dichte stand bij de horizon, blijven de meeste van de zwakke sterren die de langgerekte romp van dit sterrenbeeld vormen verborgen in de heldere stofnevels aan de horizon. De kleine boog van sterren die de kop van de Waterslang vormt, en vlak onder de Kreeft staat, is echter bijna niet over het hoofd te zien. Ter hoogte van de redelijk heldere hoofdster Alphard, heeft de Duitse sterrenkundige Johannes Hevelius het sterrenbeeld Sextant bedacht. Het betreft

een onopvallende verzameling van zwakke sterren – u hoeft dan ook niet wanhopig te worden als het de nodige moeite kost om dit sterrenbeeld op te sporen. De kleine sterrenbeelden Beker en Raaf, die nog iets verder naar het oosten op de rug van de Waterslang rusten, zijn onder goede atmosferische omstandigheden echter tamelijk gemakkelijk te herkennen.

Ook deze maand laat de sterrenkaart vier planeten zien: *Venus*, die in de Stier steeds dichterbij *Mars* komt te staan, *Saturnus*, in de Tweelingen, en *Jupiter*, die bij het volbrengen van zijn oppositielus nog steeds tegen de stroom in richting Regulus beweegt.

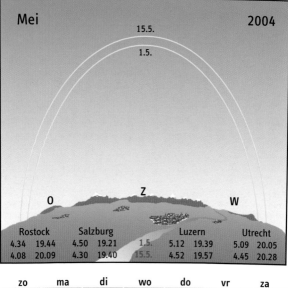

Mei						2004

15.5.
1.5.

O   Z   W

Rostock		Salzburg			Luzern		Utrecht	
4.34	19.44	4.50	19.21	1.5.	5.12	19.39	5.09	20.05
4.08	20.09	4.30	19.40	15.5.	4.52	19.57	4.45	20.28

zo	ma	di	wo	do	vr	za
						1
2	3	4	5	6	7	8
9	10	11	12	13	14	15
16	17	18	19	20	21	22
23	24	25	26	27	28	29
30	31					

planetenloop

avondhemel   **ochtendhemel**

Mercurius bereikt op 14.5 weliswaar zijn grootste westelijke elongatie, maar komt door zijn zeer zuidelijke stand op de ecliptica slechts een half uur voor de zon op.

Venus spoedt zich in de loop van de maand met indrukwekkende snelheid in de richting van de zon en verdwijnt tamelijk plotseling van de avondhemel.

Mars is steeds moeilijker op te sporen aan de avondhemel, omdat zijn helderheid afneemt en de schemering steeds later afloopt.

Jupiter keert op 5.5 van bewegingsrichting om en wandelt vervolgens weer prograad door de Leeuw en neemt daarbij afstand van de hoofdster Regulus.

Saturnus krijgt op 24.5 bezoek van de roodachtige planeet Mars, die ongeveer 1,5 graad noordelijker passeert. Drie dagen eerder staat de wassende maan in de buurt van het tweetal.

Uranus komt weliswaar steeds vroeger op, maar de ochtendschemering treedt al dermate vroeg in dat men de planeet nauwelijks zal kunnen vinden.

Samenstanden e.a. verschijnselen
(alle tijden in MET)

3.5	3 u	de maan 6 graden ten noordwesten van Spica
4.5	21.30 u	totale maansverduistering
5.5	15 u	Jupiter stationair, vervolgens prograad
14.5	23 u	Mercurius in gr. westelijke elongatie (26°)
21.5	12.15 u	de maan bedekt Venus
21.5	21 u	de maan 3 graden ten oosten van Venus
22.5	22 u	de maan 3 graden ten noordoosten van Mars
22.5	22 u	de maan 4 graden ten noorden van Saturnus
23.5	22 u	de maan 2 graden ten zuiden van Pollux
24.5	22 u	Mars 1,6 graden ten noorden van Saturnus
26.5	22 u	de maan 4 graden ten noordoosten van Regulus
27.5	22 u	de maan 4 graden ten oosten van Jupiter
30.5	23 u	de maan 3 graden ten noordoosten van Spica

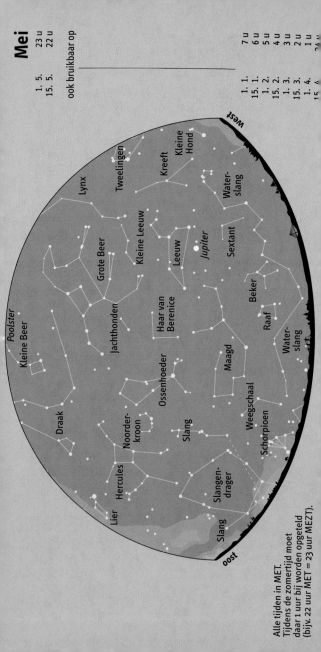

Mei

1. 5. 23 u
15. 5. 22 u

ook bruikbaar op
_____

1. 1. 7 u
15. 1. 6 u
1. 2. 5 u
15. 2. 4 u
1. 3. 3 u
15. 3. 2 u
1. 4. 1 u
15. 4. 24 u

Alle tijden in MET.
Tijdens de zomertijd moet
daar 1 uur bij worden opgeteld
(bijv. 22 uur MET = 23 uur MEZT).

west

oost

Poolster
Kleine Beer
Draak
Lier
Hercules
Noorder-kroon
Slang
Slangen-drager
Slang
Ossenhoeder
Jachthonden
Grote Beer
Lynx
Tweelingen
Kleine Leeuw
Haar van Berenice
Leeuw
Jupiter
Kreeft
Kleine Hond
Water-slang
Sextant
Maagd
Weegschaal
Schorpioen
Water-slang
Raaf
Beker

In **mei** is het feest bijna ten einde: de late zonsondergang en de steeds langer durende schemering zorgen ervoor dat het – zeker in de tweede helft van de maand – pas tegen middernacht (zomertijd) donker genoeg is om de meeste op de overzichtskaart afgebeelde sterren te kunnen vinden. Daarom geeft deze kaart de aanblik van de sterrenhemel weer voor een tijdstip dat een uur later ligt dan gewoonlijk, d.w.z. om 23 uur MET voor het begin van de maand of 22 uur MET midden in de maand. Omdat het hemelgebied dat dan in het zuiden staat slechts weinig heldere sterren telt, wordt het geduld van de waarnemer flink op de proef gesteld. Afgezien van de planeten Venus en Jupiter, de oranjegele hoofdster van de Ossenhoeder, als een van de eerste lichtpuntjes in de avondscheme-ring te zien, hoog in het zuidoosten. Iets later komen ook de sterren van de 'steelpan' van de Grote Beer in de buurt van het zenit tevoorschijn; dan is goed te zien dat de kromme 'steel' van dit sterrenbeeld ruwweg in de richting van Arcturus wijst. Als we deze lijn nog een stuk doortrekken, komen we uit bij de witachtige ster Spica, de helderste ster van de Maagd, pal in het zuiden. Tussen de Ossenhoeder in het zuidoosten en de Grote Beer en de Leeuw in het zuidwesten passeren de Jachthonden en het Haar van Berenice de meridiaan. Beide sterrenbeelden bestaan uit zwakke sterren, op Cor Caroli, de hoofdster van de Jachthonden, na – deze is altijd nog van de tweede grootteklasse. Zijn opmerkelijke naam dankt deze ster aan het feit dat hij in 1660, het jaar dat de Engelse koning Karel II naar Londen kwam om de monarchie voort te zetten, bijzonder helder gestraald zou hebben. De naam is bedacht door de sterrenkundige Edmund Halley. Halfhoog in het zuiden domineert de Maagd de sterrenhemel. Ook zij behoort tot de eclipticasterrenbeelden – de sterrenbeelden waar de zon in de loop van het jaar doorheen beweegt. In het westelijke deel van de Maagd bevindt zich het herfstpunt, d.w.z. het punt waar de zon bij het begin van de sterrenkundige herfst – ca. 23.9 – de hemelequator naar het zuiden overschrijdt. De planeet *Jupiter* staat nog meer dan 20 graden westelijk van dit punt, maar in september zal hij het vrijwel gelijktijdig met de zon passeren. Op dit moment is hij de enige van de met het blote oog zichtbare planeten die op de sterrenkaart is afgebeeld.

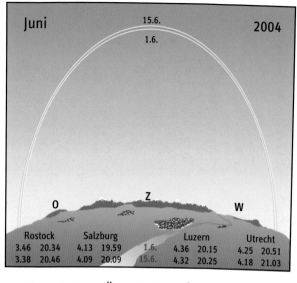

Juni						2004

15.6.
1.6.

O   Z   W

	Rostock		Salzburg			Luzern		Utrecht	
1.6.	3.46	20.34	4.13	19.59		4.36	20.15	4.25	20.51
15.6.	3.38	20.46	4.09	20.09		4.32	20.25	4.18	21.03

zo	ma	di	wo	do	vr	za
		1	2	3	4	5
6	7	8	9	10	11	12
13	14	15	16	17	18	19
20	21	22	23	24	25	26
27	28	29	30			

planetenloop

avondhemel   **ochtendhemel**

Mercurius is de gehele maand niet waarneembaar, omdat hij op 18.6 in bovenconjunctie is en dus achter de zon langs beweegt.

Venus beweegt op 8.6 precies tussen zon en aarde door en beweegt voor het eerst sinds 122 jaar weer voor de zonneschijf langs.

Mars neemt geleidelijk afscheid van de avondhemel; in de loop van de maand gaat hij al onder voordat hij kan afsteken tegen de lage stofsluiers van de avondschemering.

Jupiter gaat tegen het einde van de maand al vóór middernacht onder en trekt zich daarmee definitief terug naar het westelijke deel van de hemel.

Saturnus is aanvankelijk nog laag aan de avondhemel te zien, maar verdwijnt al spoedig in de zonnegloed; vervolgens is deze planeet enkele weken niet te zien.

Uranus komt uiteindelijk al voor middernacht op en is dus in de kleine uurtjes voor het begin van de ochtendschemering waarneembaar in het zuidoosten en zuiden.

Samenstanden e.a. verschijnselen
(alle tijden in MET)

3.6	0 u	de maan 1 graad ten noorden van Antares
8.6	10 u	Venus in benedenconjunctie (Venusovergang)
18.6	22 u	Mercurius in bovenconjunctie
21.6	1.57 u	de zon in het zomerpunt (begin zomer)
23.6	23 u	de maan 3 graden ten noordwesten van Jupiter
26.6	23 u	de maan 5 graden ten noordwesten van Spica

Rond de zomerzonnewende wordt het in juni boven de 50ste breedtegraad niet meer echt donker – de tijd van de 'grijze nachten' is aangebroken.

Juni

1. 6.   23 u
15. 6.   22 u

ook bruikbaar op

_____

15. 2.   6 u
1. 3.   5 u
15. 3.   4 u
1. 4.   3 u
15. 4.   2 u
1. 5.   1 u
15. 5.   2 u

West

oost

Poolster
Kleine Beer
Grote Beer
Kleine Leeuw
Leeuw
Jupiter
Sextant
Beker
Haar van Berenice
Raaf
Water-slang
Maagd
Weegschaal
Wolf
Schorpioen
Jachthonden
Ossenhoeder
Noorder-kroon
Slang
Slangen-drager
Draak
Cepheus
Hercules
Lier
Zwaan
Slang
Arend
Schild
Vosje
Pijl
Dolfijn

Alle tijden in MET.
Tijdens de zomertijd moet
daar 1 uur bij worden opgeteld
(bijv. 22 uur MET = 23 uur MEZT).

In **juni** bereikt de zon 's middags haar hoogste punt aan de hemel en staat zij voor waarnemers in Nederland en België bijna 16,5 uur boven de horizon. Omdat ze nu steil ondergaat, duurt het vervolgens een hele tijd voordat ze ver genoeg onder de horizon is gezakt om het echt donker te laten zijn. Het wordt pas 'astronomisch donker' als de zon meer dan 18 graden onder de horizon staat.

Gelukkig 'missen' we in juni niet veel. Op het aangegeven waarneemtijdstip hebben de voorjaarssterrenbeelden Ossenhoeder, Maagd en Leeuw zich al teruggetrokken op de westelijke hemelhelft, en de Zomerdriehoek – gevormd door de sterren Wega (van de Lier), Deneb (Zwaan) en Altair (Arend) – staat pas halfhoog in het oosten. In de buurt van de meridiaan, de noord-zuidlijn, wachten de Noorderkroon, de kop van de Slang en de Weegschaal op hun optreden, dat nogal negatief wordt beïnvloed door het storende restlicht van de schemering. Alleen Antares, de hoofdster van de Schorpioen, fonkelt laag in het zuiden als een ster van de eerste grootteklasse – maar ook zijn schijnsel wordt door stof en waterdamp in de atmosfeer danig getemperd. Antares is ongeveer 600 lichtjaar van ons verwijderd en behoort tot de rode superreuzen. Als deze ster op de plaats van onze zon zou staan, zou hij zich uitstrekken tot voorbij de baan van Mars: de planeten Mercurius, Venus, aarde en Mars zouden dus door deze ster opgeslokt worden.

Een bijzondere vermelding verdient deze maand het sterrenbeeld Draak dat, bij wijze van uitzondering, nu eens in zijn geheel op de overzichtskaart kan worden afgebeeld. De Draak kronkelt namelijk in een bijna 180 graden lange boog om de hemelpool, waardoor bijna altijd een gedeelte van dit sterrenbeeld buiten de kaartuitsnede valt.

Aan de nachthemel blijft **Jupiter** de enige planeet die met het blote oog te zien is. Hij bevindt zich in het sterrenbeeld Leeuw en beweegt nu weer oostwaarts. Op 8 juni doet zich 's ochtends de bijzondere gelegenheid voor om **Venus** overdag te bekijken: de planeet beweegt dan als een zwarte stip vóór de zon langs.

Mars in oppositie

Zodra het in de late zomer en herfst van 2003 donker wordt, en de sterren aan het firmament verschijnen, zullen waarschijnlijk weer vele bezorgde burgers naar politie en publiekssterrenwachten gaan bellen om melding te maken van een opvallend helder licht dat aan de hemel staat. Een UFO misschien, met een boodschapper van een andere planeet erin?

Nee, het is geen vliegende schotel, maar de planeet Mars, de buitenste buurplaneet van de aarde – een natuurlijk hemellichaam dus, waarover niemand zich zorgen hoeft te maken. Weliswaar boezemde zijn verschijning aan de hemel in vroeger tijden vaak de nodige angst in, want destijds geloofde men nog dat de planeten bewoond waren door de goden, die met hun wisselende

hemelpositie invloed uitoefenden op het leven van de aardbewoners.

Tegen die achtergrond is het nauwelijks verbazingwekkend dat de verschijning van een heldere, vuurrode 'dwaalster' weinig goeds kon betekenen. De letterlijk 'rode planeet' werd door de Oude Grieken niet voor niets in verband gebracht met de god van de oorlog: hun Ares, bij de Romeinen Mars geheten, was al 2000 jaar eerder berucht bij de bewoners van Mesopotamië, die de planeet in verband brachten met hun legendarische veldheer Lugalbanda.

Eigenlijk duikt Mars om de twee jaar als een min of meer opvallende gast aan de aardse sterrenhemel op — zo lang duurt het namelijk voordat de sneller bewegende aarde de op grotere afstand om de zon

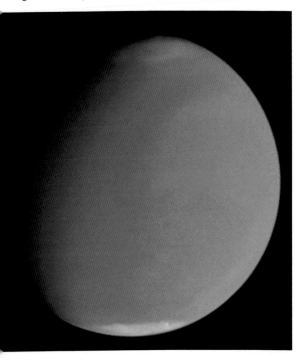

draaiende, en dus tragere planeet Mars eenmaal heeft ingehaald. Over elke omloop om de zon doet Mars ongeveer 687 dagen. Omdat een volledige cirkel overeenkomt met 360 graden, legt Mars dus gemiddeld 360/687 graden of 0,524° per dag af; in dezelfde tijd overbrugt de aarde 360/360,25 graden oftewel 0,986°. Als beide dus 'naast elkaar' beginnen, neemt de aarde per dag een voorsprong van 0,986 – 0,524 graden oftewel 0,462°. In de loop van de maanden neemt deze voorsprong steeds meer toe, totdat deze na ongeveer 780 dagen (25,5 maanden) precies 360 graden bedraagt – aarde en Mars staan dan dus weer naast elkaar. Dat 'naast elkaar staan' wordt door astronomen de oppositie genoemd. Tijdens de oppositie staat Mars – of een van de andere buiten-

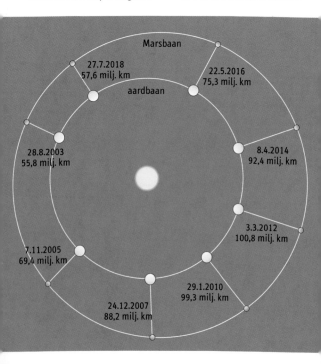

planeten – precies tegenover de zon aan de hemel.

Mars beweegt echter in een tamelijk elliptische baan om de zon. Zijn kleinste afstand tot de zon, het zogeheten perihelium, bedraagt slechts 206 miljoen kilometer; het verste punt, het aphelium, ligt echter op 250 miljoen kilometer. Omdat ook de aardbaan niet helemaal cirkelrond is, bedraagt de kloof tussen de banen van aarde en Mars in het meest gunstige geval minder dan 56 miljoen kilometer, maar in het meest ongunstige geval meer dan 103 miljoen kilometer.

De oppositieafstand tussen aarde en Mars kan dus nogal variëren. En hoe groter de afstand, des te zwakker is Mars aan onze nachthemel. Als hij in het aphelium van zijn baan in oppositie is, wordt hij nauwelijks helderder dan Sirius, de helderste ster aan het aardse firmament. Maar bij een periheliumoppositie wordt hij tweemaal zo helder en kan hij de vergelijking met de heldere planeet Jupiter doorstaan.

In 2003 haalt de aarde Mars in op het moment dat deze bijna het dichtst bij de zon staat. Dat resulteert in een extreem kleine oppositieafstand van slechts 55,78 miljoen kilometer – iets dat volgens berekeningen met een supercomputer van de NASA al meer dan 57.500 jaar niet meer is voorgekomen! De banen van de afzonderlijke planeten vertonen door de storende werking van met name Jupiter langzame veranderingen, die ervoor zorgen dat dezelfde situatie zich strikt genomen nooit meer zal herhalen. Het is dus beslist een unieke gebeurtenis, al zal het niet zo heel lang duren voordat er een nóg gunstigere Marsoppositie plaatsvindt: in het jaar 2287 nadert de planeet ons tot op 55,69 miljoen kilometer.

Van begin juli tot medio oktober 2003 zal Mars aan de hemel feller stralen dan Sirius. Gedurende die tijd beweegt hij in het sterrenbeeld Waterman; aanvankelijk verplaatst hij zich in oostelijke richting (net als de sterren) en komt hij pas na middernacht op. Maar vanaf halverwege de maand juli komt hij voor middernacht in het zuidoosten tevoorschijn en begint zijn beweging ten opzichte van de sterren te vertragen. Eind juli staat Mars vrijwel stil en vervolgt hij zijn weg in westelijke richting. Dat is het begin van de zogeheten oppositielus; Mars komt nu al voor het einde van de schemering in het zuidoosten op. In de nacht

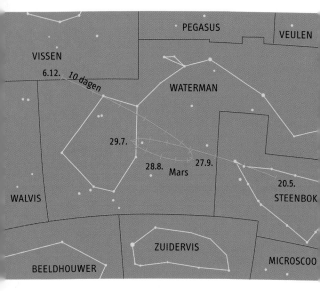

van 12 op 13 augustus beweegt hij tussen de sterren tau2 en delta van de Waterman door en krijgt daar de avond van 13 augustus gezelschap van de nog bijna volle maan, die ongeveer 1 graad verder naar het noordoosten passeert.

Op de dag van de oppositie, 27 augustus, komt Mars ongeveer een half uur na zonsondergang op. Rond 1.30 uur MEZT bereikt hij het hoogste punt aan de hemel, om ongeveer een kwartier voor zonsopkomst weer onder te gaan. Waarnemers in ons deel van Europa kunnen de planeet alles bij elkaar ongeveer 9,5 uur boven de horizon zien staan. Helaas komt hij daarbij niet erg ver boven de horizon uit, omdat hij zich in het 'wintergebied' van de ecliptica bevindt en ook nog eens bijna twee graden onder de ecliptica staat: op 50 graden noorderbreedte culmineert hij op amper 24 graden hoogte – dezelfde hoogte die de zon begin februari bereikt. Slechts een uur of drie staat hij meer dan 20 graden boven de horizon en daarmee boven de ergste stof- en nevellagen in de dampkring. Maar zelfs dan zullen telescoopwaarnemers niet zoveel plezier aan deze lage stand van de nabije planeet beleven.

Tijdens het vervolg van de oppositielus wordt Mars medio september weer trager, om tegen het einde van de maand zijn oostelijke beweging ten opzichte van de sterren te hervatten. Rond die tijd bereikt hij al vóór middernacht zijn hoogste punt in het zuiden. Tegen de jaarwisseling 2003/2004 is zijn helderheid weliswaar flink afgenomen, maar is hij nog steeds de hele avond te zien. Pas in de tweede helft van mei 2004 zal de rode planeet in de avondschemering verdwijnen, overigens niet eerder dan dat hij nog een klein dansje met Venus en Saturnus heeft gemaakt.

Mars als planeet

Met zijn diameter van 6794 kilometer behoort Mars tot de kleinste planeten – alleen Mercurius en Pluto zijn nog kleiner. Hoewel hij dus maar half zo groot is als de aarde, wordt hij beschouwd als de planeet die het meest op de onze lijkt. Veel van de overeenkomsten zijn oppervlakkig: een dag op Mars duurt slechts ongeveer 40 minuten langer dan op de aarde, en de rotatieas van de planeet staat met 24 graden bijna net

zo scheef als de aardas, waardoor er op Mars net zulke seizoenen zijn als bij ons. Ook heeft Mars een atmosfeer, die haar bestaan al lang geleden verraadde doordat delen van het planeetoppervlak soms onder wolken of stofstormen schuilgaan. Bovendien was het de Marswaarnemers al in de 19de eeuw opgevallen dat de heldere poolkappen van de planeet in het ritme van de seizoenen kleiner en groter worden en dat het omringende landschap in het voorjaar opvallend donker 'verkleurt'. Men kan het deze waarnemers niet kwalijk nemen dat zij in de veronderstelling waren dat het hier smeltwater betrof, dat ervoor zorgde dat de vegetatie na de winter weer opbloeide. Veel water kon er op Mars echter niet zijn, want grote zeeën en meren in het evenaargebied zouden hun bestaan verraden door felle reflecties van zonlicht. Toen in 1877 ook nog gemeld werd dat de Italiaanse sterrenkundige Virginio Giovanni Schiaparelli een netwerk van donkere lijnen op Mars had waargenomen, sloeg bij sommige van zijn tijdgenoten de fantasie op hol: zij interpreteerden de donkere lijnen, door Schiaparelli *canali* genoemd, als kunstmatig aangelegde irrigatiekanalen, waarmee een met uitsterven bedreigde beschaving een vertwijfelde poging deed het watertekort te bestrijden.

In de loop van de 20ste eeuw werd duidelijk dat de rechte lijnen op gezichtsbedrog berustten, en in 1965 spatte de droom definitief uiteen. In dat jaar vloog de eerste succesvolle Marssonde langs de rode planeet, om een twintigtal foto's van het oppervlak naar de aarde over te zenden. Een van de eerste dingen die men zag was een grote inslagkrater, zoals we die ook van de maan kennen. Dat kon slechts één ding betekenen: de atmosfeer van Mars was bijzonder dun en de ijle Marswolken zouden nooit regen kunnen veroorzaken. Anders zou de krater immers allang verweerd moeten zijn en met zijn omgeving gelijkgemaakt.

Ook tegenwoordig staat water nog bovenaan het lijstje overeenkomsten tussen Mars en de aarde. Het staat vrijwel vast dat er in de poolkappen en op andere plekken in de Marsbodem bevroren water is opgeslagen. Bovendien duiden talrijke 'geologische' structuren erop dat er vroeger ooit grote hoeveelheden water over Mars hebben gestroomd. Wetenschappers proberen nu ook de vraag te beantwoorden of er vroeger ook eenvoudige levensvormen op de planeet zijn geweest. Helaas heeft het onderzoek ter plaatse, met de Amerikaanse Viking-sondes halverwege de jaren 1970, geen positieve resultaten opgeleverd, en ook de aanwijzing dat een meteoriet die van Mars afkomstig zou zijn fossiele resten van leven bevat is tot op heden zeer omstreden.

De meeste grote inslagkraters op Mars stammen uit de vroege geschiedenis van de aarde. Later zijn grote delen van de planeet door de lavastromen van reusachtige vulkanen ondergelopen; de grootste vulkaan, Olympus Mons, heeft aan de basis een middellijn van 600 kilometer en stijgt meer dan 22 kilometer boven het gemiddelde Marsniveau uit. Hij ligt aan de rand van een enorme uitstulping, die Mars als een grote buil ontsiert. Niet ver daarvandaan is de Marskorst over een lengte van enkele duizenden kilometers opengebarsten. Het resultaat is een kloof die vrijwel evenwijdig aan de evenaar van west naar oost loopt: de Valles Marineris. Deze kloof is plaatselijk meer dan 7 kilometer diep en meer dan 200 kilometer breed.

Tegenwoordig verandert het Marslandschap klaarblijkelijk alleen nog maar onder invloed van de regelmatig optredende stofstormen. De voornamelijk uit kooldioxide bestaande lucht is zeer ijl: de luchtdruk aan het oppervlak is minder dan een procent van die op aarde. Dat is te weinig om het planeetoppervlak tegen de koude van de ruimte en de gevaarlijke ultraviolette straling van de zon te beschermen. De temperatuur aan de evenaar kan op een warme zomerdag weliswaar oplopen tot 10°C, maar 's nachts daalt hij gelijk weer naar -60°C, 's winters zelfs tot -100°C. Als er ooit astronauten naar Mars zullen reizen, zullen zij zich – net als op de maan – voortdurend in isolerende, luchtdichte ruimtepakken moeten voortbewegen.

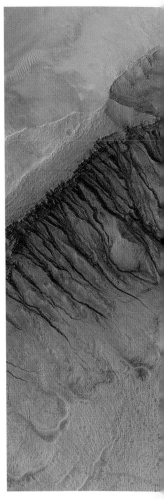

Venus vóór de zon

Als Europa op 8 juni 2004 schuilgaat onder een wolkendek, zullen veel amateurastronomen en andere sterrenliefhebbers nog meer teleurgesteld zijn dan op 11 augustus 1999, toen de totale zonsverduistering op veel plaatsen letterlijk in het water viel. De zon wordt die dag weliswaar maar zeer gedeeltelijk 'verduisterd', maar de oorzaak is ditmaal niet de maan, maar onze buurplaneet Venus. Het is echt een bijzonder hemelverschijnsel, dat voor het laatst in juni 1882 kon worden waargenomen – er is dus niemand meer die kan zeggen dat hij gezien heeft hoe de planeet Venus als een klein, zwart puntje voor de zonneschijf langs bewoog.

Zo'n 'Venusovergang' ontstaat alleen als zon, Venus en aarde precies op één lijn staan – alleen dan kan de schaduw van Venus over de aarde strijken. Je zou kunnen denken dat dat steeds gebeurt als Venus in zijn korte binnenbaan om de zon de aarde inhaalt. Omdat Venus er 225 dagen over doet om eenmaal om de zon te bewegen, en de aarde ongeveer 365,25 dagen, vindt zo'n 'benedenconjunctie' ongeveer eens per anderhalf jaar (584 dagen om precies te zijn) plaats. De Venusbaan ligt echter niet in hetzelfde vlak als de aardbaan, maar maakt daar een hoek van 3,5 graden mee. Dat leidt ertoe dat Venus tijdens de benedenconjunctie meestal iets boven of onder de verbindingslijn zon-aarde staat en haar schaduw de aarde mist.

Een Venusovergang vindt alleen plaats als de benedenconjunctie van Venus samenvalt met een van de beide 'baanknopen' – de twee punten waar de baanvlakken van Venus en aarde elkaar snijden. Op dit moment passeert de aarde deze snijpunten omstreeks 7 juni en 8 december.

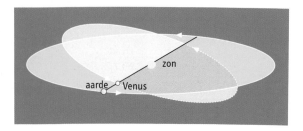

Een Venusovergang kan dus alleen optreden als de benedenconjunctie in de buurt van deze beide data plaatsvindt. Onderstaande tabel geeft een overzicht van de benedenconjuncties van Venus tussen 2004 en 2014:

8.6.2004
13.1.2006
8.8.2007
27.3.2009
29.10.2010
6.6.2012
11.1.2014

Uit deze reeks data blijkt dat de cyclus zich na iets minder dan acht jaar herhaalt, maar ook dat er geen datum omstreeks 8 december in het verschiet ligt. Zo zal er op 6 juni 2012 weliswaar opnieuw een Venusovergang te zien zijn (niet vanuit Europa helaas), maar dan duurt het tot 2117 (oftewel 14 maal acht jaar) voordat de conjunctiedatum van 13 januari 2006 zo ver naar voren is geschoven, dat hij op 11 december valt en een Venusovergang in december mogelijk maakt.

Wat er te zien is

Wie deze gebeurtenis-van-de-eeuw wil waarnemen, moet bijzondere veiligheidsmaatregelen nemen, want in feite gaat het om een normale zonnewaarneming. **Kijk in geen geval onbeschermd met een ver-** **rekijker of telescoop naar de zon om Venus te kunnen zien!** Zelfs voor het 'ongewapende' oog is het zonlicht al veel te fel om er zonder nare gevolgen naar te kunnen kijken, en met een verrekijker of telescoop bundelt men nog veel meer licht op het kleine oog. Het zou mooi uitkomen als u het eclipsbrilletje uit 1999 nog ergens heeft liggen, want ook daarmee kan de Venusovergang bekeken worden. (Zo'n brilletje is echter **niet** voldoende om met een verrekijker of telescoop te gebruiken!) Het 'extra' vlekje zal wel heen klein lijken, maar niettemin zichtbaar zijn en vooral opvallen doordat het zich snel verplaatst: terwijl een gewone zonnevlek er bijna twee weken over doet om van de linkerrand van de zon naar de rechterrand over te steken, overbrugt Venus deze afstand in goed vijf uur.

Het verschijnsel begint omstreeks 7.20 uur MEZT, als de rechterrand van Venus voor de zon schuift (alleen met een telescoop te zien). Ongeveer 20 minuten later staat Venus in zijn geheel voor de zon; nu is de zwarte stip ook met het 'blote' oog of met een verrekijker waarmee het zonnebeeld vergroot op een wit stuk karton wordt geprojecteerd te zien. Vervolgens schuift Venus tussen circa 35 en 40 graden zuiderbreedte over de zonneschijf, om even na 13 uur rechts aan te komen. Het duurt ver-

volgens nog eens bijna 20 minuten om deze rand te overschrijden.

Een kosmische meetlat

Voordat begin 17de eeuw de telescoop was uitgevonden, had nog niemand een Venusovergang waargenomen. Vermoedelijk had ook niemand er diep over nagedacht of en wanneer zo'n verschijnsel überhaupt zou kunnen optreden. Pas Johannes Kepler, die de wetten van de planeetbewegingen ontdekte en daarmee de verplaatsingen van de hemellichamen veel nauwkeuriger kon berekenen, slaagde erin om de Venusovergang van 7 december 1631 te voorspellen. Helaas overleed hij al op 15 november 1630, maar noch in zijn sterfplaats Regensburg, noch

in Praag, waar hij jarenlang had gewerkt, zou hij Venus voor de zon hebben zien staan, omdat het verschijnsel al bij zonsopkomst (zowat) voorbij was. Acht jaar later, op 4 december 1639, legde de Engelsman Jeremiah Horrocks zijn indrukken van de zwarte Venus voor de zon in een aantal tekeningen vast.

De volgende Venusovergangen, in juni 1761 en 1769, werden op initiatief van Edmund Halley gebruikt om een belangrijke astronomische meting te kunnen doen. Het was nu voor het eerst mogelijk om de afstandsmaatstaven in het zonnestelsel te kunnen ijken. Uit de omlooptijden van de verschillende planeten kon men weliswaar de relatieve zonsafstand van Mercurius, Venus, aarde, Mars, Jupiter en Saturnus afleiden, maar geen van deze afstanden was bekend in mijlen of in een van de vele andere maateenheden die destijds gebruikt werden. Als men erin zou slagen om, met behulp van de methoden die ook landmeters toepassen, tijdens de Venusovergang de afstand tussen aarde en Venus te bepalen, dan stond daarmee tevens de afstand zon-aarde vast. Deze laatste afstand wordt ook wel de 'astronomische eenheid' genoemd, en kan worden gebruikt om ook de andere planeetafstanden in uit te drukken.

Voor de vereiste driehoeksmeting moesten twee hoeken worden gemeten. Daarnaast moest ook de basislijn tussen de twee meetpunten bekend zijn. Bij deze methode geldt: hoe groter de afstand die gemeten moet worden, des te langer moet de basislijn zijn, omdat de benodigde hoekmetingen anders niet nauwkeurig genoeg zullen zijn. Als de meetnauwkeurigheid bij het bepalen van hoeken bijvoorbeeld 1 boogminuut bedraagt (wat overeenkomt met een dertigste van de schijnbare diameter van de maan), zou men een basislijn van 60 meter nodig hebben om de afstand tot een berg op één kilometer met een onnauwkeurigheid van hoogstens één procent te meten; als een onzekerheid van tien procent al voldoende is, mag de basislijn tienmaal zo kort zijn. Om de afstand tot Venus op deze manier tot op een procent nauwkeurig te bepalen, zou een basislijn van meer dan zesmaal de afstand tot de maan nodig zijn geweest, of een meer dan 300 maal zo nauwkeurige manier om hoeken te kunnen meten. Omdat dit onmogelijk was, werden de hoekmetingen vervangen door tijdmetingen. Nu was het zaak om, op verschillende plaatsen op de aarde, de begin- en eindtijden van de Venusovergang te meten, om daaruit de relatieve positie van Venus ten opzichte van de zon te bepalen. Daaruit konden dan weer de gewenste hoeken worden berekend.

Helaas moest men vaststellen dat het niet mogelijk was om de in- en uittredetijden van Venus voldoende nauwkeurig te bepalen, omdat de atmosfeer van de planeet roet in het eten gooide. Vlak bij de zonnerand leek tussen Venus en de toch al sterk golvende zonnerand een 'schaduwbrug' te ontstaan, waardoor de precieze tijdstippen van het begin en het einde van de overgang 'gemist' werden.

Tegenwoordig kunnen de afstanden in het zonnestelsel met radarinstrumenten zo nauwkeurig worden bepaald, dat de astronomische eenheid met een onzekerheid van minder dan een miljardste procent bekend is. Deze nauwkeurigheid is onder meer nodig om ruimtesondes en satellieten in de gewenste banen te kunnen brengen. Met zuiver astronomische metingen zou dat nooit gelukt zijn. Ook wetenschappers kunnen dus heel ontspannen naar de Venusovergang van 8 juni 2004 kijken.

Hemelse draaiingen

Vroeger geloofde men dat de hemel, met al zijn sterren, in de loop van een dag om de stilstaande aarde draaide. Zo gek was dat 'geocentrische' wereldbeeld niet, want de waarnemingen lijken het te ondersteunen: bijna alle hemellichamen – zon, maan en sterren – komen immers in het oosten op, bereiken hun hoogtepunt in het zuiden en gaan in het westen weer onder. 'Bijna alle', want de sterren in de buurt van de Poolster duiken bij ons nooit onder de horizon en zouden altijd te zien zijn, als de zon ze niet zou doen verbleken (zie afb. blz. 8).

Om de werkelijke situatie te kunnen achterhalen, moet je al een beetje je fantasie gebruiken. 'Voor niets gaat de zon op', luidt het gezegde. En eigenlijk is er ook niets op tegen om dat zo te zeggen: we zien de zon immers vanachter de horizon 'opstijgen'. Maar in werkelijkheid is het precies andersom: het is niet de zon die van oost naar west beweegt, maar de aarde die in omgekeerde richting – van west naar oost dus – om haar eigen as draait. En daarbij worden grote snelheden bereikt: aan de evenaar draait alles en iedereen met een snelheid van 40.000 kilometer per etmaal, wat overeenkomt met ruim 1600 km/uur – sneller dan het geluid dus! Dat we desondanks niet voortdurend een supersonische knal horen, heeft alleen te maken met het feit dat de aarde met atmosfeer en al draait. Anders gezegd: ten opzichte van de aarde staat de lucht vrijwel stil.

Een verklarend experiment

Het idee dat het de aarde zelf is die draait, was al geopperd door sommige geleerden in het Oude Griekenland. Maar het werd bij gebrek aan waarneembare bewijzen verworpen. Opmerkelijk genoeg kon de draaiing van de aarde pas halverwege de 19de eeuw experimenteel worden aangetoond. Dat gebeurde door de Franse natuurkundige Jean Bernard Foucault die in het Pantheon in Parijs een lange slinger ophing. Op grond van fysische overwegingen moet de richting waarin zo'n slinger heen en weer gaat steeds gelijk blijven, maar iedereen kon er getuige van zijn dat dit slingervlak langzaam verdraaide, omdat de aarde 'onder de slinger' door draaide. Daarmee leverde Foucault het meetbare bewijs van iets dat toen al bijna vier eeuwen bekend was op grond van de waargenomen

bewegingen van de hemellichamen.

Door de draaiing van de aarde
verandert onze blikrichting
voortdurend: in het oosten zakt
de horizon, die ons gezichts-
veld begrenst, als het ware
steeds verder weg, waardoor
we andere delen van de hemel
te zien krijgen; de westelijke
horizon stijgt schijnbaar juist
op en ontneemt ons het zicht
op wat daarachter verdwijnt.
Onze taal heeft deze omwente-
ling van het wereldbeeld ech-

ter nog niet verwerkt, want we
zeggen nog steeds dat het de
zon (of een ander hemellichaam) is die opkomt en ondergaat.

Het ontstaan van de seizoenen
Uit ervaring weten we dat de
zon niet het hele jaar door op
dezelfde tijd opkomt of ondergaat, en ook de plaats waar de
zon opkomt of ondergaat verandert. Medio/eind december
verschijnt zij pas laat in het
zuidoosten, om een flauwe

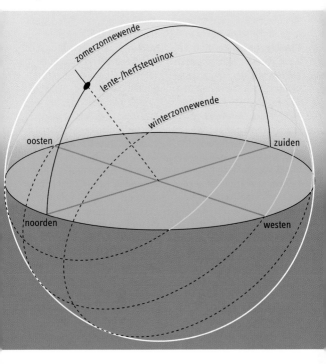

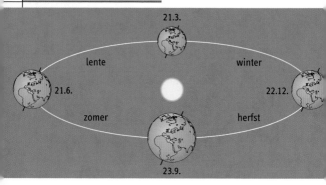

boog over de horizon te maken en al vroeg in de middag weer in het zuidwesten onder te gaan. Een half jaar later komt de zon al heel vroeg in de ochtend in het noordoosten op, reikt de boog langs de hemel tot veel grotere hoogte en gaat zij pas laat op de avond weer in het noordwesten onder.

Tegenwoordig weten we dat deze wisselende zonshoogte niet terug te voeren is op de stemming van een zonnegod, die men met offergaven moet zien te beïnvloeden. Weliswaar worden de zonnewenden ook nu nog door veel mensen gevierd, maar dat is meer om het feest dan om de goden gunstig te stemmen. Of weten zij misschien niet wat astronomen al ongeveer 500 jaar weten, namelijk dat ook de seizoenen het gevolg zijn van een beweging van de aarde?

De planeet waarop wij leven draait niet alleen eenmaal per 23 uur 56 minuten en 4,09 seconden ten opzichte van de sterren (= 1 *sterrendag*) om zijn as, maar beweegt in de loop van een jaar ook eenmaal om de zon. Zijn rotatieas staat echter niet loodrecht op zijn baan, maar staat ongeveer 23,45° scheef. Omdat de ruimtelijke oriëntatie van deze as door de draaiing van de aarde wordt gestabiliseerd, wijst hij altijd in dezelfde richting. Dat leidt er dan weer toe dat bijvoorbeeld het noordelijke halfrond van de aarde op een bepaald moment naar de zon toe geheld is (dan is het bij ons zomer en op het zuidelijke halfrond winter), maar een half jaar later is het precies andersom (winter in het noorden, zomer in het zuiden). De maximale helling wordt bereikt omstreeks 21 juni (zomerzonnewende) en 22 december (winterzonnewende); de zon bereikt op deze dagen op plaatsen die op 23,45 graden noorderbreedte (bij de zomerzonnewende) of zuiderbreedte (bij de winterzonnewende) liggen net het zenit. Tussen deze beide uitersten in zijn er twee dagen waarop de zon exact boven de evenaar van de aarde staat: omstreeks 21 maart passeert zij de evenaar in noordelijke richting (lente-equinox), omstreeks 23 september gebeurt dat in zuidelijke richting (herfstequinox).

Veel mensen denken dat het de ellipsvorm van de aardbaan is die voor het ontstaan van de seizoenen verantwoordelijk is. Het is waar dat de afstand tussen de aarde en de zon in de loop van het jaar tussen 147,1 miljoen kilometer en 152,1 miljoen kilometer varieert. Maar onze planeet bevindt zich juist begin januari in het perihelium, het punt dat het dichtst bij de zon ligt, en begin juli in het aphelium (het verste punt). Bovendien bedraagt de variatie ten opzichte van de gemiddelde afstand van 149,6 miljoen kilometer slechts 1,7 procent, waardoor de intensiteit van het zonlicht tussen perihelium en aphelium slechts met ongeveer 7 procent afneemt – veel te weinig om de grote temperatuurverandering tussen zomer en winter te kunnen verklaren. Het belangrijkste tegenargument is natuurlijk nog wel dat de seizoenen op het noordelijke en zuidelijke halfrond niet gelijk op gaan, maar een half jaar uit fase zijn.

De zuidrichting vinden

Men kan de hemelrichtingen met een eenvoudige reeks waarnemingen tamelijk nauwkeurig bepalen. Daartoe hoeft men in de loop van de dagen, weken en maanden slechts de richting vast te stellen waarin de zon haar hoogste punt bereikt (de *culminatie*). Men kan bijvoorbeeld een rechte stok in de grond steken en elk uur de positie van de bovenkant van de schaduw op de grond markeren; de punten van zo'n dag kun je vervolgens middels een kromme lijn met elkaar verbinden. Als je dat experiment om de paar weken herhaalt, en steeds het punt vaststelt waar de afstand tussen schaduw en het insteekpunt van de stok het kleinst is, moet er (afhankelijk van de 'meetnauwkeurigheid') een rechte lijn van meetpunten ontstaan, die de noord-zuidrichting aangeeft.

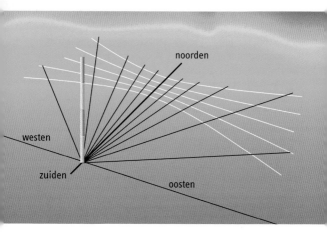

De zonnewijzer loopt verkeerd

Wie bij deze reeks metingen ook de tijd noteert waarop de zon in het zuiden staat, zal tot zijn verbazing merken dat de zon haar culminatie niet altijd op hetzelfde moment bereikt. Een volgens dit eenvoudige principe geconstrueerde 'zonnewijzer' loopt verkeerd ten opzichte van de tijd die onze klokken aanwijzen.

Dat wordt voor een deel veroorzaakt door de ellipsvorm van de aardebaan, die ervoor zorgt dat onze planeet niet altijd met dezelfde snelheid om de zon beweegt. Begin januari, als de aarde in haar perihelium staat, wordt ongeveer een graad per dag afgelegd, terwijl dat in het aphelium (begin juli) ongeveer vijf procent minder is. Daardoor duurt een ware

zonnedag in de winter ongeveer 17 seconden langer dan in de zomer. In de loop van de weken loopt dit verschil tussen de 'normale', wettelijke tijd en de 'ware' tijd die de zonnewijzer aangeeft op tot iets meer dan acht minuten. In de bovenste grafiek is deze door de elliptische aardbaan veroorzaakte bijdrage aan het 'foutlopen' van de zonnewijzer in lichtroze weergegeven.

Er is nog een tweede effect dat deze afwijking, die tijdvereffening wordt genoemd, beïnvloedt: de scheve stand van de aardas. Dit leidt ertoe dat de zon rond het tijdstip van de zonnewenden, als zij bij haar 'wandeling op de ecliptica' als het ware evenwijdig aan de hemelequator beweegt, een groter stuk – gemeten langs de hemelequator – aflegt dan rond de tijd van de equinoxen, omdat de ecliptica dan schuin op de hemelequator staat. Deze variatie loopt op tot een minuut of tien (oranjekleurige kromme). De beide effecten samen resulteren in een tamelijk ingewikkeld ogende kromme, waarvan de maximale uitwijking begin november ongeveer 16,35 minuten bedraagt. Dan staat de echte zon als het ware 16 minuten en 21 seconden 'te vroeg' in het zuiden, en lijkt de namiddag duidelijk korter dan de voormiddag. Goed drieëneenhalve maand later, medio februari, is de culminatie van de zon meer dan een half uur vertraagd, en is het omgekeerd: de namiddag lijkt duidelijk langer dan de voormiddag.

Correctiemogelijkheden
Er bestaan overigens zonnewijzers die rekening houden met de tijdvereffening en dus de zogeheten middelbare lokale tijd – rond 12 uur 's middags althans – aangeven. Deze hebben ofwel een correctielijn op hun 'wijzerplaat' of een bijzonder gevormde 'schaduwstaf' die de hele dag de 'juiste' tijd aangeeft. De vorm van deze staf of van de correctielijn lijkt op een uitgerekte '8' en wordt analemma genoemd.

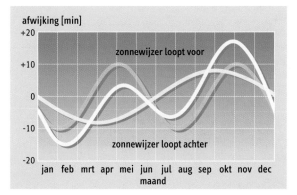

Maansverduisteringen

Met de totale maansverduistering van 16 mei 2003 is voor waarnemers in West- en Midden-Europa een bijzondere reeks van in totaal vier achtereenvolgende verduisteringen begonnen, die – bij heldere hemel – geheel of gedeeltelijk bij ons waarneembaar zijn. Voor het laatst trad zo'n verduisteringsreeks meer dan 50 jaar geleden op, en de volgende keer dat we op viermaal goed weer mogen hopen is in de jaren 2050/51.

In de nacht van 8 op 9 november trekt de volle maan voor de tweede maal dit jaar door de schaduw van de aarde. Dat kan alleen gebeuren als de maan tijdens de volle fase precies in het verlengde van de verbindingslijn zon-aarde staat. Dat

is (gelukkig) niet elke keer het geval, want anders zou er elke maand een maansverduistering zijn, en zou de lol er allang af zijn. De maanbaan maakt echter een hoek van ongeveer vijf graden met de baan van de aarde om de zon. Daardoor beweegt de volle maan meestal iets boven of onder de lijn zon-aarde door en komt hij niet in de aardschaduw terecht – er is dan geen verduistering.

Voor een maansverduistering is het nodig dat het moment van volle maan samenvalt met het bereiken van een van de baanknopen. Met deze laatste bedoelt men de twee snijpunten tussen de maanbaan en het vlak van de aardbaan; vroeger werden deze punten ook wel 'drakenpunten' genoemd, om-

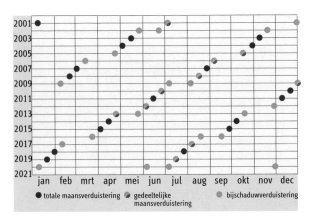

● totale maansverduistering ● gedeeltelijke maansverduistering ● bijschaduwverduistering

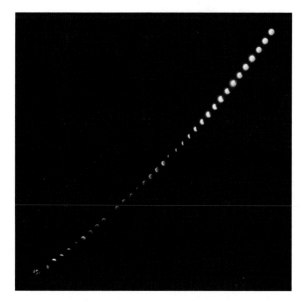

dat men in de Oudheid dacht dat de maan (en vooral ook de zon) tijdens een verduistering door een hemeldraak verslonden werd. Op oude astronomische uurwerken wordt de positie van de baanknopen ook met een 'drakenwijzer' aangegeven.

Omdat een draconitische maand – de tijd die verstrijkt tussen twee passages van de maan door een van beide baanknopen – iets minder dan 27,5 dagen duurt, en een synodische maand – de tijd tussen twee volle manen – daarentegen 29,5 dagen, is het dus niet mogelijk dat er twee totale maansverduisteringen in opeenvolgende maanden te zien zijn: er moeten minimaal vijf onverduisterde volle manen tussen zitten. Omdat echter zes synodische maanden 177 dagen duren – iets minder dan een half jaar dus – schuiven de verduisteringsdata in de loop der jaren steeds verder naar voren. Zo vond de eerste maansverduistering van de 21ste eeuw op 8 januari 2001 plaats. Nu, drie jaar later, is deze datum al opgeschoven naar november, en volgend jaar eindigt onze reeks van vier in oktober.

De totale maansverduistering in de nacht van 8 op 9 novem-

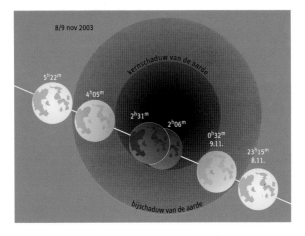

8/9 nov 2003

kernschaduw van de aarde

5ʰ22ᵐ

4ʰ05ᵐ

2ʰ31ᵐ

2ʰ06ᵐ

0ʰ32ᵐ
9.11.

23ʰ15ᵐ
8.11.

bijschaduw van de aarde

ber 2003 begint om ongeveer 23.15 uur. Maar daar zullen de meeste waarnemers weinig van merken, omdat het slechts de intrede van de bijschaduw betreft. We zien pas echt iets gebeuren als de maan – na middernacht – de kernschaduw van de aarde bereikt:

begin gedeeltelijke fase 0.32 u
begin van de totaliteit 2.06 u
maximale verduistering 2.19 u
einde van de totaliteit 2.31 u
einde gedeeltelijke fase 4.05 u

Met een totaliteitsduur van ongeveer 24 minuten behoort de verduistering van november tot de kortere in zijn soort – de maan schampt eigenlijk langs de buitenrand van de kernschaduw van de aarde. De verduistering is de laatste en kort-

ste van een zogeheten sarosreeks van verduisteringen die op 19 juni 1769 begon. De langste totale verduistering uit deze reeks was die van 13 augustus 1859, die 107 minuten duurde – de maan bewoog toen precies door het midden van de kernschaduw van de aard. In Europa was daar niets van te zien, omdat de verduistering bij maanopkomst al voorbij was. Wel zichtbaar was de verduistering van 23 augustus 1877, die altijd nog 106 minuten duurde.

Ook de totale maansverduistering van 4 mei 2004, die een uur en een kwartier duurt, kan tot de langere maansverduisteringen worden gerekend. Het is de vierde verduistering in een andere sarosreeks, die op 2 april 1950 is begonnen en op

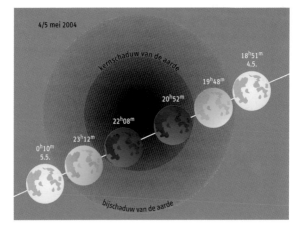

4/5 mei 2004

kernschaduw van de aarde

18ʰ51ᵐ 4.5.

19ʰ48ᵐ

20ʰ52ᵐ

22ʰ08ᵐ

23ʰ12ᵐ

0ʰ10ᵐ 5.5.

bijschaduw van de aarde

3 september 2202 zal eindigen met een slechts 22 minuten durende verduistering. De langste maansverduistering in deze reeks is die van 28 juni 2094 (101 minuten), die bij ons overigens niet te zien zal zijn.
Het verloop van de verduistering van 4 mei 2004 is als volgt:

begin gedeeltelijke fase 19.48 u
begin van de totaliteit   20.52 u
maximale verduistering 21.30 u
einde van de totaliteit   22.08 u
einde gedeeltelijke fase 23.12 u
(Let op: deze tijden zijn in MET, niet in zomertijd!)

Het is interessant om beide verduisteringen met elkaar te vergelijken: omdat de maan tijdens de eerste verduistering veel minder diep de aardschaduw binnendringt dan de

tweede keer, zal hij op 9 november 2003 veel minder donker worden dan op 4 mei 2004. Aan de rand van de aardschaduw komt immers meer strooilicht aan dat door de aardatmosfeer naar de schaduw wordt afgebogen dan in het midden ervan.

De zichtbaarheid van de planeten in 2003/2004

De binnenste planeet **Mercurius** is geen gemakkelijk waarneemobject, omdat hij vanaf de aarde gezien nooit verder dan 28 graden van de zon verwijderd is. Daardoor verbleekt hij meestal in de zonnegloed en is hij alleen aan avond- of ochtendhemel zichtbaar als zijn hoekafstand tot de zon maximaal is; Mercurius staat dan in zijn grootste oostelijke of westelijke elongatie.

Op onze geografische breedte zijn vooral de avondverschijningen in het voorjaar en de ochtendverschijningen in de herfst gunstig, omdat de ecliptica dan steil op de horizon staat.

bovenconjunctie	5.7.2003
gr. oost. elong.	14.8.2003
(27°, niet waarneembaar)	
benedenconjunctie	11.9.2003
gr. west. elong.	27.9.2003
(18°, **ochtendhemel**)	
bovenconjunctie	25.10.2003
gr. oost. elong.	9.12.2003
(21°, moeilijk waarneembaar)	
benedenconjunctie	27.12.2003
gr. west. elong.	17.1.2004
(24°, moeilijk waarneembaar)	
bovenconjunctie	4.3.2004
gr. oost. elong.	29.3.2004
(19°, **avondhemel**)	
benedenconjunctie	17.4.2004
gr. west. elong.	14.5.2004
(26°, onzichtbaar)	
bovenconjunctie	18.6.2004

Ook **Venus** beweegt nog binnen de aardbaan om de zon, maar zij bereikt van ons uit gezien wel een veel grotere schijnbare afstand tot de zon: tot ongeveer 47 graden. Door haar dichte, wolkenrijke atmosfeer weerkaatst deze planeet een groot deel van het ontvangen zonlicht. Venus is dus een opvallend lichtpunt dat soms vele weken achtereen waarneembaar is aan avond- of ochtendhemel. Gezien door een telescoop vertoont Venus net zulke schijngestalten als de maan.

Venus staat in de zomer van 2003 aanvankelijk onwaarneembaar aan de daghemel. Ze beweegt achter de zon langs en duikt ten slotte in de late herfst aan de avondhemel op. Daar is de planeet tot mei 2004 te zien, waarna opnieuw de zon wordt genaderd. De daaropvolgende benedenconjunctie is een bijzondere, omdat Venus op 8 juni 2004 voor het eerst sinds 1882 precies tussen de zon en de aarde door beweegt. Dat resulteert in een Venusovergang die ook bij ons te zien zal zijn (zie blz. 68).

bovenconjunctie	18.8.2003
gr. oost. elong.	29.3.2004
(46°, **avondhemel**)	
benedenconjunctie	8.6.2004
(Venusovergang)	

Alle andere planeten bewegen buiten de aardbaan om de zon. Omdat de omloopsnelheid kleiner is naarmate de planeet zich verder van de zon bevindt, en de omtrek van de baan tevens steeds groter wordt, nemen de omlooptijden naar buiten sterk toe. Hierdoor worden de buitenplaneten regelmatig door de aarde ingehaald, en op het moment dat we elkaar passeren staat zo'n planeet dan precies tegenover de zon aan de hemel. Die situatie wordt de oppositie genoemd. Tijdens de oppositie staat de planeet het dichtst bij de aarde en is hij de gehele nacht waarneembaar.

Onze buitenste buurplaneet **Mars** staat aanvankelijk als een heldere, oranjekleurige lichtpunt aan de ochtendhemel, maar verovert al snel ook de eerste helft van de nacht en bereikt eind augustus 2003 een zeer gunstige oppositiestand, waarbij hij de aarde dichter nadert dan de afgelopen 57.500 jaar het geval is geweest (zie blz. 61). Helaas beweegt hij in een tamelijk vlakke boog langs onze hemel, waardoor hij niet ver boven de horizon uitkomt. Mars verdwijnt in mei 2004 aan de westelijke avondhemel.

oppositie   28.8.2003

Jupiter is de grootste planeet van ons zonnestelsel en opvallend helder – alleen zon, maan, Venus en heel soms ook Mars stralen feller dan hij. Het is een aardige bezigheid om de bewegingen van de Jupitermanen met een verrekijker te volgen (zie blz. 85). Jupiter staat aanvankelijk bij de zon aan de daghemel, maar duikt in de herfst aan de ochtendhemel op en is dan tot in de zomer van 2004 waarneembaar in het sterrenbeeld Leeuw.

conjunctie	22.8.2003
oppositie	4.3.2004

Saturnus beweegt momenteel door het sterrenbeeld Tweelingen. Het is de verste planeet die we gemakkelijk met het blote oog kunnen waarnemen. Om de bekende ring van Saturnus te kunnen zien, heeft men echter een kleine telescoop nodig die minstens 30 maal kan vergroten.

oppositie	31.12.2003
conjunctie	8.7.2004

Uranus is onder gunstige omstandigheden weliswaar zichtbaar met het blote oog, maar meestal heeft men toch een verrekijker en een goede sterrenkaart nodig om het zwakke, groenachtige lichtpuntje in het sterrenbeeld Waterman te kunnen vinden.

oppositie	24.8.2003
conjunctie	22.2.2004

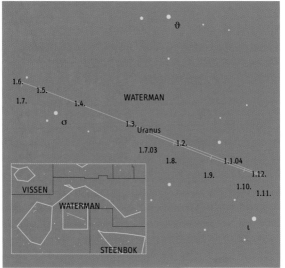

De dans van de Jupitermanen

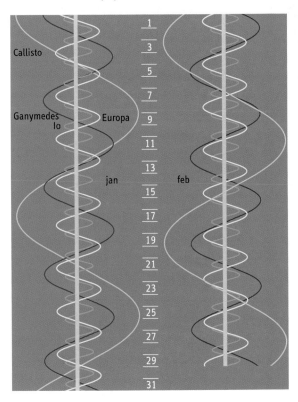

Eigenlijk zouden we de vier grote Jupitermanen, die in 1610 – dus na de uitvinding van de telescoop – voor het eerst werden waargenomen, onder gunstige omstandigheden zelfs met het blote oog kunnen zien. Dat dit niet lukt heeft te maken met de helderheid van Jupiter zelf: de planeet overstráált al-

les in zijn omgeving, waardoor men minstens een verrekijker nodig heeft om de dans van zijn manen te kunnen volgen; sommige manen zijn zelfs al met een toneelkijkertje te zien. Io, Europa, Ganymedes en Callisto draaien met perioden van 2 tot 16 dagen om de planeet heen. Hierdoor nemen ze niet

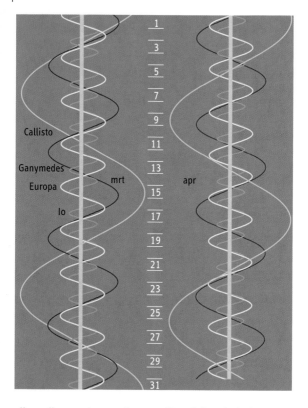

alleen elke avond een andere positie in: de snelle beweging van Io zorgt zelfs al in de loop van een nacht voor duidelijk merkbare veranderingen in de aanblik van het manenstelsel. Bijgaande slingerdiagrammen laten de verplaatsing van de Jupitermanen in de loop van 2003/2004 zien, voor de periode althans dat de planeet aan de avondhemel zichtbaar is. De oriëntatie is zodanig dat het getoonde overeenkomt met het beeld van een verrekijker; een telescoop keert het beeld gewoonlijk om.

Om Jupiter comfortabel te kunnen waarnemen, is het verstandig om de verrekijker met een hulpstuk op een fotostatief te monteren, zodat het instrument niet voortdurend trilt — bedenk dat ook trillingen mee

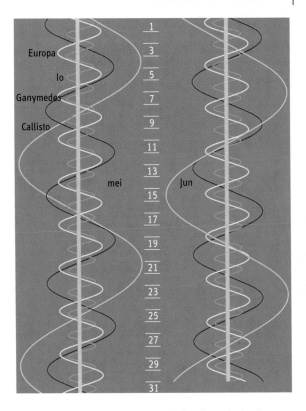

worden vergroot!

Io (middellijn 3630 km) en Europa (3140 km) zijn ongeveer net zo groot als onze maan (3476 km), Ganymedes (5262 km) is zelfs nog groter dan de planeet Mercurius (4878 km), en zelfs Callisto (4806 km) is van vergelijkbare grootte. De Amerikaanse ruimtesonde Galileo, die sinds het midden van de jaren 1990 het Jupiter-

stelsel onderzoekt, heeft met close-ups en wetenschappelijke metingen aangetoond dat de vier grote manen van Jupiter zeer verschillend van aard zijn.

Terugblik op 2002

Opknapbeurt voor de Hubble-ruimtetelescoop

Bijna twaalf jaar na zijn lancering in april 1990 kreeg de Hubble-ruimtetelescoop (Hubble Space Telescope, HST) in februari 2002 voor de vierde keer bezoek: met de spaceshuttle Columbia waren zeven astronauten aangekomen om de telescoop een onderhoudsbeurt te geven, nieuwe instrumenten in te bouwen en defecte of verouderde onderdelen te vervangen. Vervangen werden – voor de tweede keer alweer – de zonnepanelen voor de stroomvoorziening, die door hun flexibele constructie steeds weer aan het slingeren waren geslagen en daardoor de waarnemingen verstoorden. De nieuwe zonnepanelen zijn niet meer oprolbaar, maar inklapbaar. En hoewel ze kleiner zijn, leveren ze meer stroom dan hun voorgangers, waardoor nu meer instrumenten van de HST tegelijkertijd kunnen worden gebruikt. Alleen al voor deze werkzaamheden waren twee ruimtewandelingen nodig.

De derde werkdag in de ruimte werd besteed aan het vervangen van de centrale energie-verdelingseenheid, voordat op de vierde dag het laatste waarneeminstrument van de eerste generatie, de Faint Object Camera, vervangen kon worden door een nieuwe camera: de Advanced Camera for Surveys ('verbeterde camera voor hemelverkenningen'). Deze camera ter grootte van een telefooncel is aanzienlijk beter dan zijn voorganger en ook beter dan de meeste andere moderne instrumenten. Hij bevat een ccd-chip (het elektronisch equivalent van de 'gevoelige plaat') met ongeveer 17 miljoen pixels, terwijl de andere camera's niet meer dan 2,6 miljoen pixels hadden (een digitale camera die je bij de fotohandel koopt heeft ongeveer 4 miljoen pixels). Daardoor is zowel het beeldformaat als het oplossend vermogen van de camera vergroot; het laatste ligt nu bij 1/20 boogseconde – daarmee is op de maan nog een object ter grootte van een voetbalstadion te herkennen. Ten slotte is ook de lichtgevoeligheid van de camera driemaal zo groot als die van de tot nu toe meest lichtgevoelige camera aan boord van de ruimtetelescoop. De nieuwe camera is gevoelig voor golflengten van het kortgolvige blauw tot in het nabije infrarood, dat met het menselijke oog niet waarneembaar is. Met dit instrument hopen sterrenkundigen kometen en andere

kleine objecten in de buitenge-
bieden van ons zonnestelsel op
te kunnen sporen, maar ook
planeten bij nabije sterren en
de omgeving van zwarte gaten
in de kernen van verre melkwegstelsels te kunnen onderzoeken.

Tijdens de vijfde en laatste
ruimtewandeling werd de infraroodcamera NICMOS weer
leven ingeblazen, die na de
montage in februari 1997 veel
te snel was uitgevallen. Camera's als deze moeten sterk ge-
koeld worden, om de infra-
roodmetingen niet te verstoren
met de warmte van het instrument zelf. Door een lek in het
koelsysteem raakte destijds de
voorraad bevroren stikstof, die
eigenlijk voor twee jaar be-
doeld was, voortijdig op. Het
nieuwe koelsysteem werkt als
een soort koelkast: het heeft
een gesloten koelmiddelkring-
loop. Het belangrijkste doel
van NICMOS is het waarnemen
van stervormingsgebieden –
niet alleen in ons eigen melkwegstelsel, maar ook in naburige stelsels.

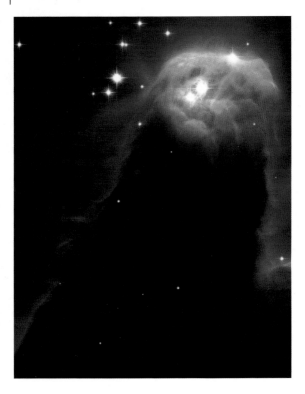

Stervormingsgebied in het sterrenbeeld Eenhoorn

Een van de eerste opnamen met de gerestaureerde infraroodcamera NICMOS laat dit detail zien van de zogeheten Kegelnevel in het sterrenbeeld Eenhoorn. In zichtbaar licht (linksboven) zijn alleen de drie heldere sterren op de voorgrond van het gas en stof in de nevel te zien, evenals een verder weg gelegen ster. Op de infraroodopnamen blijken meer dan een dozijn sterren (in wording) in het binnenste van de stofwolk zichtbaar te zijn. Door deze objecten verder te onderzoeken, zullen sterrenkundigen meer te weten komen over de manier waarop sterren ontstaan. De Kegelnevel bevindt zich op een afstand van ongeveer 2500 lichtjaar en is ongeveer een lichtjaar 'breed' en zeven lichtjaar 'hoog'.

Melkwegstelsels in overvloed

Wat eigenlijk alleen een foto van het zogeheten Kikkervis-stelsel in het sterrenbeeld Draak had moeten zijn, ontpopte zich bij nader inzien als een ware galerij van melkwegstelsels: op de opname zijn meer dan 6000 verre stelsels te zien. En dan te bedenken dat de nieuwe ACS-camera deze opname in veel minder tijd kon maken dan zeven jaar geleden nodig was voor de beroemde Hubble Deep Field-opname. De opvallende materiestaart van het 420 miljoen lichtjaar verre voorgrondstelsel Arp 188 (de 'Kikkervis') heeft een lengte van 280.000 lichtjaar. (Ter vergelijking: ons melkwegstelsel heeft een middellijn van 100.000 lj.) De staart is lang geleden veroorzaakt door de ontmoeting met een ander melkwegstelsel.

Vlekken op de zon

Hoewel het laatste zonnevlekkenmaximum al ongeveer twee jaar geleden was, waren ook in 2002 regelmatig reusachtige zonnevlekkengroepen te zien, die soms zelfs met het blote oog waarneembaar waren; eind augustus waren gedurende een paar dagen zelfs twee donkere plekken op de zon te zien.

Zulke zonnevlekken zijn gebieden waar het normaal gesproken ongeveer 5600 graden hete zonsoppervlak 1200 tot 1500 graden 'koeler' is. Dat gebeurt doordat magnetische verstoringen onder de vlekken de warmteaanvoer uit het inwendige belemmeren. Zonnevlekken zijn de zichtbare gevolgen van de zogeheten zonneactiviteit, die gepaard gaat met allerlei magnetische 'capriolen' en met een elfjaarlijkse cyclus op en neer gaat. Het laatste (vlekken)maximum werd in de zomer van 2000 geregistreerd, maar het is niet ongebruikelijk dat in de jaren daarna nog grote vlekken te zien zijn.

Om zonnevlekken zonder risico te kunnen waarnemen, moet men enkele veiligheidsregels in acht nemen – ook als het waarnemingen met het blote oog betreft. Bij voorkeur dient men een eclipsbrilletje op te zetten, dat niet allen het felle zonlicht tegenhoudt, maar ook de niet minder gevaarlijkere infrarode en ultraviolette straling van de zon. Wie geen eclipsbrilletje meer heeft, kan bij firma's die telescopen verkopen ook een speciale folie kopen, die vaak *solar screen* wordt genoemd.

Met het blote oog zijn alleen zonnevlekgroepen groter dan 50.000 kilometer te zien; als deze over het midden van de zonneschijf bewegen, bereiken ze meer dan 1/30 van de diameter van de zonneschijf. Zulke grote vlekken zijn echter tamelijk zeldzaam, dus kan het een hele tijd duren vooraleer men er een te zien krijgt.

Met een verrekijker zijn ook de wat kleinere zonnevlekken te zien. Maar pas op: **kijk in geen geval met een onbeschermde verrekijker direct naar de zon, ook niet als de zon 's ochtends of 's avonds heel laag staat!** Een verrekijker bundelt de zonnestraling en projecteert deze sterk geconcentreerd op het oog. Om ernstige oogbeschadigingen tegen te gaan, moet men de verrekijker (of telescoop) van een deugdelijk zonnefilter voorzien dat **vóór het objectief** moet worden geplaatst. (De kleine oculairfilters die men vaak bij de wat goedkopere telescopen krijgt zijn ongeschikt, omdat ook zij de gebundelde zonnestraling

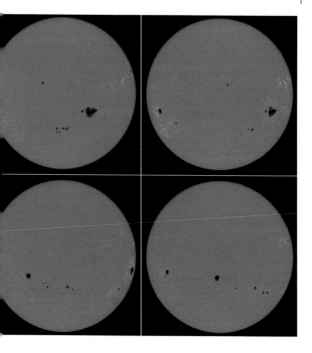

opvangen en al heel snel uit elkaar spatten.) Een goedkoop en veilig alternatief is het projecteren van het ongefilterde zonnebeeld op een stuk wit papier of karton.

Wie dit allemaal te omslachtig vindt, kan de zon ook heel goed via het internet 'waarnemen'. Op de site *www.spaceweather.com* zijn onder meer actuele opnamen van de zon te zien, die u desgewenst naar de eigen computer kunt downloaden om een heel archief van zonnefoto's op te bouwen.

Bijna is niet helemaal

De meeste van de ongeveer 50.000 bekende planetoïden of 'kleine planeten' bewegen tussen de banen van Mars en Jupiter om de zon. Maar er zijn ook enkele honderden objecten groter dan 100 meter die de aarde tot op minder dan 7,5 miljoen kilometer oftewel 20 maal de afstand tot de maan kunnen naderen. De meeste van deze brokstukken blijven zo lichtzwak, dat ze zelfs bij de dichtste nadering van de aarde alleen met grote telescopen te zien zijn.

In de zomer van 2002 deed zich echter een gelegenheid voor om het toch nog 800 meter grote object 2002 NY40 vlak voorbij de maanbaan langs te zien 'scheren'. Het object was enkele weken eerder in het kader van een automatisch zoekprogramma ontdekt en zou bij de dichtste nadering van de aarde in kleine en middelgrote telescopen te zien zijn. Behalve een telescoop had men er wel een goede sterrenkaart voor nodig om het nietige hemellichaam tussen het gewemel van achtergrondsterren te kunnen ontdekken. Geduld was misschien nog wel het belangrijkste hulpmiddel.

Wie over geschikte fotoapparatuur of een ccd-camera kon beschikken had meer kans op 'succes'. Want op een reeks op-namen verraadt zo'n object zich door zijn relatief snelle verplaatsing ten opzichte van de vaste sterren – 5 graden en meer per uur (!). Bij een lange belichting trekt het een streepje op het negatief.

Astronomen delen de planetoïden die zo dicht bij de aarde kunnen komen in bij de 'potentieel gevaarlijke planetoïden' (Potentially Hazardous Asteroids, PHA's). Zo'n PHA hoeft geen onmiddellijk gevaar voor de aarde te betekenen, maar kan dat door kleine baanverstoringen na verloop van tijd wel worden.

Als 2002 NY40 niet op een veilige afstand van 524.000 km voorbijgevlogen was, maar op aarde was neergestort, zou hij een ongeveer 20 km grote inslagkrater hebben veroorzaakt en in de wijde omgeving alles verwoest hebben. Men gaat ervan uit dat de inslag van een ongeveer 10 kilometer grote planetoïde 65 miljoen jaar geleden het uitsterven van de dinosaurussen heeft veroorzaakt.

Het zoeken gaat door

Sinds enkele jaren zijn sterrenkundigen bezig om de bedreiging die planetoïden vormen enigszins betrouwbaar te kunnen inschatten. Het is namelijk waarschijnlijk dat het werkelijke aantal PHA's veel groter is

dan de ongeveer 500 die we nu kennen. Op een aantal plaatsen zijn automatische camera's bezig om de hemel naar bewegende lichtpunten af te zoeken. Uit de waarneemprogramma's LINEAR, LONEOS, NEAT en Spacewatch zijn alleen al in het eerste halfjaar van 2002 circa 60 nieuwe PHA's ontdekt; een overzicht van deze activiteiten is te vinden op de internetsite *neo.jpl.nasa.gov*.

Circumpolair is een ster of sterrenbeeld dat bij zijn dagelijkse beweging niet ondergaat, maar tussen hemelpool en horizon door beweegt. Circumpolaire hemelobjecten zijn dus altijd waarneembaar.

Conjunctie is een andere naam voor de samenstand van twee hemellichamen. Specifieke conjuncties zijn die van de buitenplaneten en de zon, waarbij planeet en zon dezelfde positie t.o.v. de ecliptica innemen, en de beneden- en bovenconjunctie van Mercurius en Venus, waarbij laatstgenoemde tussen zon en aarde, resp. aan de 'achterkant' van de zon staat.

Culminatie is de hoogste stand aan de hemel die een hemellichaam kan bereiken; wordt steeds bereikt op de noord-zuidlijn.

Ecliptica is de benaming voor de schijnbare baan die de zon langs de hemel, dus ten opzichte van de sterren(beelden), aflegt.

Grootste elongatie is de maximale hoekafstand die Mercurius of Venus ten opzichte van de zon kan bereiken.

Hemelequator is de denkbeeldige lijn langs de hemel die precies boven de evenaar van de aarde loopt.

Hemelpool is het punt dat precies boven de noord- of zuidpool van de aarde staat; door de draaiing van de aarde lijken alle sterren om de hemelpool te draaien.

Van **oppositie** is sprake als een planeet precies tegenover de zon aan de hemel staat. De planeet komt dan op bij zonsondergang en gaat onder bij zonsopkomst.

Prograad of rechtlopig is de benaming voor de 'normale' bewegingsrichting van zon, maan en planeten langs de ecliptica, d.w.z. van west naar oost.

Retrograad, d.w.z. van oost naar west, beweegt een planeet tijdens het doorlopen van zijn oppositielus of (in het geval van Mercurius en Venus) tijdens de benedenconjunctie.

Zenit heet het punt recht boven de waarnemer.

Colofon

ISBN 90.5210.493.x
NUR 917

Oorspronkelijke titel:
Was tut sich am Himmel 2003/2004
© 2003 Franckh-Kosmos Verlags-GmbH und Co., Stuttgart
© 2003 voor de Nederlandse taal:
Tirion Uitgevers bv, Baarn
Vertaling en bewerking: Eddy Echternach
Omslagontwerp: Hans Britsemmer

Met 7 kleurenfoto's, 12 kleurrijke sterren-kaarten en 44 kleurdiagrammen van Gerhard Weiland, Keulen

Dit is een uitgave van
Tirion Uitgevers bv
Postbus 309,
3740 AH Baarn